Les goûters
de Léa

Marie-Hélène
Martin de Clausonne

Les goûters
de Léa

Cuisine

Précédemment publié sous le titre :
Les Goûters de Tante Léa

© Flammarion, 2001

Sommaire

LA JOIE DU GOÛTER

«Goûter» est un mot magique pour les enfants. C'est en effet le meilleur moment de la journée : ils peuvent manger tout ce qu'ils aiment, même avec les doigts, et ils ont l'occasion de goûter un peu ou beaucoup, cela n'a pas d'importance, car les mamans sont toujours contentes. Ils ne se privent pas de jouer et de chanter en goûtant, tout est permis ! C'est toujours la fête, un instant de pur bonheur.

Vous trouverez au fil de ces pages de nombreuses recettes adaptées au goût des petits, savoureuses et tellement jolies à voir, pour toutes les saisons et toutes les circonstances : goûters vite faits pour tous les jours, pâtisseries et friandises de fête, gâteaux d'anniversaire, buffets salés pour une note originale. Certaines recettes pourront être réalisées par les enfants. Pour celles qui sont un peu plus difficiles, sollicitez toujours leur aide. Ils en seront ravis.

Les « indispensables » vont vous permettre de redécouvrir toutes les qualités de la pâte à choux traditionnelle, des sablés maison ou de la vraie chantilly, qui reste ferme pendant deux jours alors que celle des bombes retombe en dix minutes !

Inutile de songer à casser votre tirelire dans votre hâte et votre désir de fêter dignement les anniversaires et d'occuper ces chers bambins, car la fête commence dans la cuisine.

Les enfants s'initient à l'art de la création, en façonnant des petits sujets avec de la pâte à modeler en sucre ou en chocolat, en décorant des gâteaux, en façonnant de petits sablés…

Les enfants sont si heureux d'« aider » d'abord et ensuite de « faire seuls ».

Ce temps passé dans la cuisine sera l'occasion précieuse de leur transmettre, dans la bonne humeur, de grandes qualités : le goût du bon, du beau, du soigné, du précis, du fini !

Le goûter, c'est la joie d'offrir, la joie de partager.

Niveaux de difficulté

   * Facile et souvent sans cuisson.
  ** Sans difficulté particulière.
*** Demande un peu plus de temps et d'habileté.

LES INDISPENSABLES

Pâte brisée***

Utilisations : tartes et tartelettes sucrées ou salées

Pour 1 tarte de 26 cm
ou 15 tartelettes
Temps de préparation : 10 min
Temps de repos : 30 min
Temps de cuisson : 30 min

🍃

200 g de farine
100 g de beurre
1/2 cuillerée à café de sel fin
ou 1 cuillerée à soupe de sucre
(recettes sucrées)
1/2 verre d'eau

* Coupez le beurre en petits morceaux, versez dessus la farine, le sel ou le sucre.

* Travaillez le mélange du bout des doigts ; il doit devenir homogène. Ajoutez l'eau petit à petit, en continuant à travailler la masse jusqu'à obtenir une pâte bien lisse – mais, attention, moins la pâte sera pétrie, meilleure elle sera. Roulez la pâte en boule et laissez-la reposer au moins 30 minutes.

* Étalez-la sur un plan de travail légèrement fariné, d'abord avec la paume de la main, puis avec un rouleau à pâtisserie.

* Faites cuire à four chaud (th. 8/9, 250 °C).

* En général, la garniture ne s'ajoute qu'à mi-cuisson. Pour éviter que la pâte ne gonfle pendant la première partie de la cuisson, piquez-la à la fourchette ou posez dessus un moule plus petit.

Pâte sablée*

Pour 1 tarte, 15 tartelettes
ou 35 petits sablés environ
Temps de préparation : 15 min
Temps de repos : 30 min
Temps de cuisson : 15 min

❧

1 œuf entier
125 g de sucre
250 g de farine
1 pincée de sel
125 g de beurre

* Dans une grande terrine, battez l'œuf avec le sucre et le sel.

* Quand le mélange est mousseux, ajoutez la farine d'un seul coup, puis le sel, et mélangez du bout des doigts, jusqu'à obtenir du « sablé ».

* Incorporez le beurre légèrement ramolli et coupé en petits morceaux.

* Quand il est complètement absorbé, la pâte doit être lisse. Formez une boule, couvrez-la et laissez-la reposer au moins 30 minutes avant de l'étaler.

* En découpant fonds de tartelettes et sablés, veillez à avoir le moins de perte possible, car cette pâte est meilleure quand elle n'est pas trop travaillée.

* Faites cuire à four moyen (th. 6, 180 °C). Tout juste colorés, les gâteaux sont prêts ; ils ne gonflent pas en cuisant.

* La pâte chaude étant très friable, laissez les tartes refroidir avant de les démouler.

* S'il s'agit de sablés, soulevez-les délicatement avec une spatule et laissez-les refroidir sur une grille sans les superposer.

Pâte à pain*

Utilisations : pain, pains fantaisie, pizzas

Pour 2 pains de 400 g chacun
Temps de préparation : 20 min
Temps de repos : 4 h
Temps de cuisson : 30 min

🍃

20 g de levure de boulanger
fraîche ou 1 sachet de levure
lyophilisée
2 verres d'eau
500 g de farine
1 cuillerée à café de sel
1 petit verre de lait

* Faites fondre la levure dans l'eau tiède. Dans une grande terrine, mettez la farine et le sel, mélangez et faites un puits. Versez l'eau et la levure fondue.

* Travaillez longuement la pâte, jusqu'à ce qu'elle se détache des parois. Mettez-la sur le plan de travail fariné et battez-la. Quand elle est bien lisse et ne colle plus aux doigts, roulez-la en boule, farinez-la et laissez-la reposer au moins 2 heures, recouverte d'un linge, dans un endroit tiède.

* Quand la pâte a doublé de volume, retravaillez-la un peu pour la faire retomber. Formez les pains, farinez-les et disposez-les sur la plaque du four.

* Laissez-les encore reposer au moins 2 heures avant de les cuire à four moyen (th. 5/6, 175 °C) pendant 30 minutes environ.

* Avec un pinceau trempé dans un peu de lait sucré ou tout simplement un peu d'eau, dorez les pains avant de les enfourner et recommencez à leur sortie du four.

Pâte briochée*

**Pour 1 brioche de 400 g
ou 10 brioches individuelles**
Temps de préparation : 10 min
Temps de repos : 2 h
Temps de cuisson : 30 min

❧

*20 g de levure de boulanger
fraîche ou 1 sachet de levure
lyophilisée
1/2 verre de lait
3 œufs
3 pincées de sel
1 cuillerée à soupe de sucre
250 g de farine
70 g de beurre fondu*

* Délayez la levure dans le lait tiède. Dans un saladier, battez les œufs en omelette, avec le sel et le sucre. Incorporez la farine et le beurre fondu, puis la levure. Mélangez en battant la pâte, jusqu'à ce qu'elle devienne légère et homogène. Quand elle commence à se décoller des parois, roulez-la en boule et farinez-la légèrement. Couvrez le saladier d'un torchon et laissez reposer au moins 2 heures dans un endroit tiède. La pâte doit doubler de volume. Faites-la redescendre en la travaillant à nouveau. Beurrez généreusement un moule et versez-y la pâte, qui ne doit pas remplir plus du tiers. Attendez que la pâte ait gonflé à nouveau avant de cuire à four chaud (th. 7, 210 °C) pendant 30 minutes environ. Quand la brioche est dorée, vérifiez la cuisson avec une lame de couteau, qui doit ressortir sans aucune trace.

Variantes
Kouglof

* Ajoutez 100 grammes de raisins secs macérés dans 1 petit verre de thé et 100 grammes d'amandes effilées à la pâte, et faites-la cuire dans un moule alsacien en terre vernissée.

Kramik

* Pour réaliser cette brioche qui nous vient de Belgique, ajoutez à la pâte 100 grammes de raisins secs macérés dans 1 petit verre de rhum coupé d'eau.

Pâte feuilletée***

Utilisations : galettes, feuilletés salés ou sucrés, palmiers, allumettes au fromage

Pour 1 galette de 26 cm
Temps de préparation : 40 min
Temps de repos : 50 min
Temps de cuisson : 30 min

🐌

200 g de farine
1/2 cuillerée à café de sel
1 cuillerée à soupe de sucre
1 dl d'eau
150 g de beurre

* Dans une terrine, mettez la farine, le sel et le sucre. Versez l'eau et travaillez rapidement, jusqu'à obtenir une pâte ferme. Roulez-la en boule, couvrez et laissez reposer 30 minutes au frais. Sur le plan de travail, abaissez la pâte en carré, plus épais au centre que sur les bords. Déposez le beurre coupé en petits morceaux au milieu, rabattez les quatre angles vers le centre et soudez-les. Étalez ce pâton en un rectangle trois fois plus long que large, en gardant 1 centimètre d'épaisseur et en veillant à ce que le beurre n'apparaisse pas. Pliez en trois le rectangle de pâte, tournez ce carré d'un quart de tour, étalez-le

à nouveau en rectangle et pliez en trois. Couvrez le pâton et laissez-le reposer 20 minutes au frais.

* Étalez à nouveau la pâte en rectangle, pliez en trois, tournez d'un quart de tour, étalez et repliez. Remettez au frais. Recommencez encore une fois l'opération.

* En résumé, il faudra faire trois séries de deux tours, avec un repos tous les deux tours.

* Pour assurer un beau feuilletage, il faut au départ que le beurre ait la même consistance que la détrempe et surtout travailler dans une atmosphère fraîche. Faites cuire à four assez chaud (th. 6/7, 200 °C).

Variante
Pâte feuilletée rapide

* Il vous faut 6 petits-suisses nature + leur poids en farine + la moitié de leur poids en beurre et 1/2 cuillerée à café de sel.

* Versez la farine dans une terrine et faites un puits au milieu. Mettez-y les petits-suisses, le beurre ramolli et le sel. Mélangez du bout des doigts. Quand la farine a bien absorbé tous les ingrédients, formez une boule et laissez reposer au moins 1 heure au frais avant d'étaler la pâte au rouleau.

Pâte à choux***

Utilisations : gougère au fromage, choux, éclairs, paris-brest, pets-de-nonne

Pour 18 choux de taille moyenne ou 60 petits choux

Temps de préparation : 35 min

Temps de cuisson : 20 min

🍒

1/4 l d'eau
1/2 cuillerée à café de sel
1 cuillerée à soupe de sucre
75 g de beurre
150 g de farine
4 œufs de taille moyenne

* Dans une casserole, mettez l'eau, le sel, le sucre et le beurre. Portez à ébullition. Éteignez le feu et versez la farine en une seule fois. Remuez énergiquement avec une cuillère en bois, jusqu'à ce que la pâte soit bien lisse et se détache de la casserole.

* Continuez à remuer la pâte et ajoutez les œufs un à un, en veillant à ce que chaque œuf soit parfaitement incorporé avant d'ajouter le suivant. Au dernier œuf, la pâte doit être souple sans toutefois s'étaler.

* Dressez les choux sur une tôle légèrement beurrée, avec deux petites cuillères, ou une poche à douille s'il s'agit d'éclairs. Faites cuire à four chaud (th. 7, 210 °C). Les choux sont cuits quand ils sont dorés, gonflés et qu'ils se détachent de la plaque. Ne les sortez pas du four avant cuisson complète, car ils retomberaient.

Variante
Gougère

* Limitez le sucre de la pâte à choux à 1 cuillerée à café et intégrez 100 grammes de gruyère râpé à la pâte terminée mais encore chaude.

Pâte à beignets***

Utilisations : beignets d'aubergines, de crevettes, de pommes, d'ananas, etc.

Pour 25 beignets

Temps de préparation : 25 min

Temps de repos : 1 h

Temps de cuisson : 30 min

❧

125 g de farine

1 œuf

1 cuillerée à soupe d'huile

2 pincées de sel

1/2 verre d'eau, de lait ou de bière

1/2 cuillerée à café de sucre

∗ Dans une terrine, mélangez la farine, l'œuf, l'huile, le sel, le sucre, puis l'eau, le lait ou la bière. Laissez reposer au moins 1 heure à température ambiante.

∗ Pour obtenir une pâte plus légère, réservez le blanc d'œuf, montez-le en neige et ajoutez-le à la pâte au moment de l'utilisation.

∗ L'huile de cuisson doit être chaude, sans toutefois fumer (175 °C pour les friteuses électriques).

∗ Trempez les tranches de fruits, de légumes ou les crevettes dans la pâte, puis dans l'huile chaude. Faites cuire 3 minutes en retournant à mi-cuisson.

∗ Quand les deux côtés sont gonflés et dorés, retirez les beignets avec une écumoire et déposez-les sur un papier absorbant. Servez chaud. Ne faites pas cuire plus de trois ou quatre beignets à la fois, afin que la température de l'huile reste constante et que les beignets ne collent pas entre eux.

Pâte à crêpes***

Pour 25 grandes crêpes
Temps de préparation : 10 min
Temps de repos : 1 h
Temps de cuisson : 1 h

6 œufs
3 pincées de sel
1 cuillerée à soupe de sucre
2 cuillerées à soupe d'huile
ou de beurre fondu
500 g de farine
1/2 l de lait
1/2 l d'eau, d'eau gazeuse
ou de bière

* Dans une grande terrine, cassez les œufs. Ajoutez le sel, le sucre, l'huile ou le beurre. Battez en omelette. Versez la farine en pluie, puis le lait petit à petit et enfin l'eau ou la bière. Laissez reposer au moins 1 heure.

* Dans une poêle graissée et bien chaude, versez 1/2 louche de pâte. Inclinez rapidement la poêle afin que la pâte se répartisse et nappe toute la surface. Faites cuire à feu vif. Au bout de quelques secondes, le bord se colore ; avec une spatule, soulevez la crêpe et retournez-la pour cuire l'autre face. Faites glisser la crêpe sur un plat maintenu au chaud au-dessus d'une casserole d'eau bouillante. Empilez les crêpes au fur et à mesure.

* Garnissez au moment de déguster.

* *Garnitures sucrées :* sucre cristallisé, sucre glace, sucre roux, sirop d'érable, confiture, sauce au chocolat.

* *Garnitures salées :* épinards, endives, béchamel au fromage. Pour faire gratiner les crêpes, rangez-les dans un plat, recouvrez de gruyère râpé et d'un peu de beurre émietté avant de passer au four.

Pâte à gaufres**

Pour 20 gaufres environ
Temps de préparation : 10 min
Temps de cuisson : 1 h

🐌

1/2 l de lait
100 g de beurre
100 g de sucre
1 pincée de sel
1 cuillerée à café de levure
alsacienne
300 g de farine
3 œufs
Parfum : vanille ou fleur d'oranger

* Faites tiédir le lait et mettez-y à fondre le beurre avec le sucre et le sel.

* Mélangez la levure avec la farine. Faites une fontaine, cassez les œufs au milieu et mélangez soigneusement. Versez ensuite le lait et remuez.

* Quand la pâte est bien lisse, parfumez à la vanille ou à la fleur d'oranger.

* Huilez le gaufrier et branchez-le.

* Quand les plaques sont bien chaudes, versez 1/2 louche de pâte. Fermez et retournez le gaufrier. Attendez 5 minutes.

* Quand les gaufres sont cuites, elles sont dorées et se détachent toutes seules. Gardez les gaufres au chaud.

* Au moment de servir, garnissez de sucre cristallisé, de sucre glace, de confiture ou de chantilly.

Meringue italienne**

Meringue italienne
Temps de préparation : 10 min
Temps de cuisson : 5 min

🐌

2 blancs d'œufs
1 pincée de sel
200 g de sucre
3 cuillerées à soupe d'eau
1 cuillerée à café de vinaigre

* Dans une grande terrine, battez les blancs en neige ferme, au fouet électrique, ajoutez le sel.

* Mettez le sucre, l'eau et le vinaigre dans une petite casserole. Mélangez et faites cuire sans remuer. Après 5 minutes de gros bouillons, le sirop s'épaissit, les bulles deviennent moins nombreuses et plus grosses. Prélevez 1 cuillerée à café de sirop et laissez-la tomber dans un verre d'eau froide. Si le sucre peut être repris entre les doigts pour former une boule, éteignez le feu et laissez retomber les bulles.

* Versez le sirop en mince filet sur les blancs, sans cesser de battre à grande vitesse. La neige double de volume ; elle devient ferme et brillante.

* Continuez à battre pendant quelques minutes, jusqu'à ce que le mélange ait un peu refroidi.

Meringue suisse***

Utilisations : elles sont multiples !
La bonne tenue de la meringue
cuite en fait une base très
précieuse, île flottante, nougat,
marshmallow (pâte de gui-
mauve). Ou encore : dorée au
four – omelette norvégienne,
tarte meringuée (rhubarbe) –,
colorée et parfumée pour
recouvrir et décorer un gâteau,
mélangée aux purées de fruits
pour faire des glaces, ajoutée aux
crèmes pour les alléger – crème au
beurre, crème de paris-brest – ou
pour les raffermir – crème
fouettée.

2 blancs d'œufs
1 pincée de sel
150 g de sucre en poudre

* Préparez un bain-marie en veillant
  à ce que la taille de la casserole
  soit adaptée à celle de la terrine ;
  la terrine doit entrer dans la casserole, mais elle ne doit pas flot-
  ter ou tourner dedans. Chauffez
  l'eau et maintenez-la chaude, mais
  non bouillante.

* Mettez les blancs, le sel et le sucre
  dans la terrine. Battez d'abord à
  petite vitesse pour ne pas « casser » les blancs.

* Quand le sucre est fondu, augmentez la vitesse et battez jusqu'à
  ce que la pâte soit ferme et
  brillante.

* Sortez la terrine du bain-marie et
  battez jusqu'à refroidissement de
  la pâte.

Crème anglaise***

Pour 1 l de lait
Temps de préparation : 20 min
Temps de cuisson : 15 min
🐋
6 jaunes d'œufs
125 g de sucre

* Faites bouillir le lait. Dans une terrine, battez les jaunes avec le sucre, jusqu'à ce que le mélange blanchisse. Toujours en remuant, ajoutez petit à petit le lait bouillant et reversez le mélange dans la casserole. Laissez épaissir à feu doux, sans cesser de remuer, jusqu'à ce que la crème nappe la cuillère. Éteignez le feu juste avant l'ébullition.

* Si jamais la crème a un peu trop chauffé, les œufs formeront des petits grumeaux : mettez la préparation dans un mixeur et actionnez l'appareil 1 minute.

Crème pâtissière**

Utilisations : garniture des tartes, des choux, des éclairs

Pour 1 l de lait
Temps de préparation : 15 min
Temps de cuisson : 10 min
🦢
4 œufs
120 g de sucre
120 g de farine
50 g de beurre

* Battez les œufs en omelette, ajoutez le sucre, puis la farine.

* Faites bouillir le lait et ajoutez-le petit à petit en remuant.

* Versez le mélange dans la casserole et faites cuire à feu doux jusqu'au premier bouillon. Retirez du feu, remuez encore un peu, puis incorporez le beurre.

Crème au beurre***

Pour garnir 1 grand gâteau
ou 1 bûche de Noël
Temps de préparation : 20 min
Temps de cuisson : 10 min

❧

200 g de sucre
1/2 verre d'eau
1 cuillerée à café de vinaigre
4 jaunes d'œufs
200 g de beurre

* Dans une petite casserole, mettez le sucre, l'eau et le vinaigre. Portez à ébullition et faites cuire le sirop jusqu'au « filet » (trempez une petite cuillère bien froide dans le sirop, celui-ci doit alors couvrir la cuillère et retomber en fil).

* Dans un bol, battez les jaunes d'œufs au fouet. Versez lentement le sirop de sucre dessus, en battant toujours. Laissez le mélange refroidir un peu. Dans une autre terrine, écrasez le beurre en pommade et incorporez peu à peu la préparation aux œufs. Battez jusqu'à obtenir une crème lisse et brillante.

* La crème au beurre peut être parfumée au café, au cacao, à la vanille, au pralin. Elle doit être conservée au frais.

Crème Chantilly**

Temps de préparation : 5 min

🦢

20 cl de crème liquide stérilisée
50 g de sucre glace
1 sachet de sucre vanillé

* Dans un bol froid, versez la crème sortant du réfrigérateur, ajoutez le sucre glace et le sucre vanillé. Battez au fouet à main, d'abord lentement, puis de plus en plus énergiquement, jusqu'à ce que la crème devienne mousseuse, légère et ferme. Elle doit former un « bec » au bout du fouet.

* La crème peut aussi être fouettée dans le bol du mixeur ; il est conseillé d'ajouter alors un petit glaçon.

Cuisson du sucre**

Pour 250 g de sucre blanc
Temps de préparation :
entre 10 et 20 min

🐦

3 cuillerées à soupe d'eau
1 cuillerée à soupe de vinaigre
ou de glucose

* Dans une petite casserole à fond épais, mettez le sucre glace, puis l'eau et le vinaigre ou le glucose.

* Nettoyez les bords de la casserole avec un pinceau mouillé. Chauffez en veillant à ce que la flamme ne dépasse pas le fond de la casserole, remuez jusqu'à ce que le sucre soit fondu. Quand le sirop est clair, cessez de remuer.

* De nombreuses petites bulles recouvrent toute la surface ; la mousse blanche disparaît. Le sirop nappe la spatule. L'eau et le vinaigre s'évaporent. Le sirop se concentre et s'étire en filet.

* 1 cuillerée de sirop prélevée dans la casserole et plongée dans l'eau glacée peut être reprise entre les doigts pour former une boule molle : petit boulé.

* La boule devient ferme entre les doigts : grand boulé.

* La boule de sucre encore incolore ne colle plus. Elle est dure et cassante, elle roule sur le marbre : petit cassé.

* Le sucre se colore légèrement sur le bord de la casserole : grand cassé.

* Le sucre est uniformément coloré sur toute la surface de la casserole ; le caramel, versé sur le marbre, est ambré et cassant.

* À cette étape, il faut stopper rapidement la cuisson du caramel, car, passé ce stade, il n'est plus utilisable : il est brûlé et a perdu toutes ses qualités.

LES BUFFETS SALÉS

Allumettes au fromage

Pour 50 allumettes environ

Temps de préparation : 15 min

Temps de repos : 30 min

Temps de cuisson : 10 min

❧

Pâte feuilletée rapide
(voir recette p. 17)
200 g de gruyère râpé

* Préparez une pâte feuilletée rapide en y intégrant 100 grammes de gruyère râpé.

* Laissez reposer la pâte, puis étalez-la au rouleau en formant un rectangle de 3 millimètres d'épaisseur.

* Préchauffez le four (th.6, 180 °C).

* Répartissez les 100 grammes de gruyère restants sur toute la surface et passez le rouleau pour coller le fromage à la pâte. Avec un petit couteau pointu, découpez de longues lamelles de 1 centimètre de large.

* Torsadez chaque lamelle, avant de la déposer sur la plaque de cuisson.

* Faites cuire 10 minutes.

Canapés

Temps de préparation : 30 min
Temps de cuisson : 10 min

❧

Pour la garniture
Raisins secs ou frais, jambon
saumon fumé, œufs de lump
crevettes, poivrons

Pour le beurré coloré
Beurre
1 poivron vert, 1 poivron rouge,
1 poivron jaune
Sel, poivre

* Préparez le beurre coloré. Lavez les poivrons, ouvrez-les en deux et passez-les 10 minutes dans le four bien chaud (th. 6, 180 °C). Quand ils sont ramollis, prélevez leur chair avec une petite cuillère et répartissez-la dans trois bols. Salez, poivrez, ajoutez la même quantité de beurre et passez au mixeur. Tartinez des tranches de pain avec cette préparation.

* Coupez-les en carrés ou en triangles et décorez d'œufs de lump, de saumon fumé, de crevettes, de jambon, d'œufs durs, etc.

Sandwiches au thon

Pour 40 sandwiches

Temps de préparation : 1 h

Temps de repos : 3 h

❧

1 boîte de thon au naturel
3 cuillerées à soupe de crème
fraîche
Quelques olives vertes
dénoyautées, sel, poivre, aneth
1 cuillerée à café de moutarde
1 cuillerée à café de vinaigre
1 sachet de gélatine au madère
20 tranches de pain de mie

* Écrasez le thon à la fourchette avec la crème fraîche, la moutarde et le vinaigre. Salez, poivrez, parfumez à l'aneth. Ajoutez la moitié des olives coupées en morceaux ; réservez l'autre moitié pour le décor. Préparez la gélatine selon le mode d'emploi inscrit sur le paquet. Tassez la préparation dans une terrine ou un moule. Versez dessus la gélatine refroidie.

* Réservez au frais pendant 3 heures.

* Quand la terrine est bien prise, tartinez les tranches de pain de mie, assemblez-les deux par deux et coupez en quatre triangles. Vous pouvez aussi utiliser 2 feuilles de gélatine. Dans ce cas, remplacez la crème fraîche par 1 pack de crème liquide. Faites ramollir les feuilles de gélatine dans un bol d'eau froide. Quand elles sont molles, égouttez-les et faites-les dissoudre dans la crème tiédie (60 °C maximum – vous devez pouvoir mettre votre doigt dedans sans vous brûler, sinon la gélatine deviendra du tapioca !).

Mini-pizzas

**Pour 1 pizza à la dimension
de la plaque du four,
soit environ 50 mini-pizzas**

Temps de préparation : 20 min

Temps de repos : 1 h

Temps de cuisson : 30 min

❧

Pour la pâte
*500 g de farine, 20 g de levure
de boulanger, 1 verre de lait tiède
4 cuillerées à soupe d'huile
d'olive, sel*

Pour la garniture
*1 talon de jambon
ou 1 tranche épaisse
3 cuillerées à soupe d'huile
d'olive, 4 gros oignons
1 kg de tomates
ou 1 boîte de tomates pelées
1 pot d'olives noires
1 pot d'olives vertes
300 g de gruyère râpé
ou de mozzarella
Thym ou origan, sel*

* Faites fondre la levure dans le lait tiède. Dans une grande terrine, mettez la farine et 2 pincées de sel. Faites un puits et versez l'huile et la levure fondue au milieu. Pétrissez la pâte. Quand elle est bien homogène, laissez-la reposer pendant au moins 1 heure à température ambiante.

* Préparez la garniture : dans une poêle, faites chauffer un peu d'huile d'olive. Mettez-y à dorer les oignons épluchés et coupés en fines lamelles, ajoutez les tomates coupées en petits morceaux. Laissez réduire pendant 10 minutes. Quand la pâte a doublé de volume, pétrissez-la à nouveau, puis étalez-la sur la plaque du four farinée. Garnissez avec la préparation oignons-tomates, le jambon coupé en petits cubes, les olives et le fromage. Arrosez d'un filet d'huile d'olive et saupoudrez de thym ou d'origan.

* Faites cuire à four chaud (th. 8/9, 250 °C) pendant 20 minutes. Découpez en petits carrés et servez chaud.

* La pizza peut être servie à la sortie du four ou préparée à l'avance et réchauffée.

Pruneaux farcis au lard

Pour 20 pruneaux

Temps de préparation : 20 min

Temps de cuisson : 15 min

🐋

20 gros pruneaux,
1 sachet de lardons
10 tranches de lard fumé
20 piques en bois

* Faites gonfler les pruneaux quelques minutes à la vapeur. Remplacez alors les noyaux par des lardons, enroulez le pruneau dans un ruban de lard fixé avec une pique en bois. Passez quelques minutes au four. Servez chaud.

Tartelettes au fromage et au jambon

Pour 15 tartelettes
Temps de préparation : 1 h
Temps de cuisson : 20 min

❧

Pâte brisée
(voir recette p. 13)

Pour la garniture
70 g de beurre
100 g de farine
1/4 l de lait
100 g de gruyère râpé
1 tranche de jambon, 8 œufs
Sel, muscade râpée

* Préparez la pâte brisée, étalez-la au rouleau et garnissez-en des moules à tartelettes.

* Dans une grande casserole, sur feu doux, faites fondre le beurre, versez la farine et mélangez avec une cuillère en bois. Quand le beurre a complètement absorbé la farine, versez le lait, remuez vivement jusqu'à ce que la pâte soit homogène. Hors du feu, ajoutez le gruyère, le jambon coupé en petits morceaux, un peu de sel et de muscade. Cassez les œufs ; réservez les blancs dans un grand saladier et incorporez les jaunes un à un dans la pâte. Montez les blancs en neige ferme avec 1 pincée de sel. À l'aide d'une spatule, soulevez la pâte et intégrez la moitié des blancs en neige pour la liquéfier un peu, puis l'autre moitié très lentement, afin de ne pas «casser» les blancs. Garnissez les fonds des tartelettes de cette préparation et faites cuire à four chaud (th. 8/9, 250 °C) pendant environ 20 minutes. Quand les tartelettes sont gonflées et dorées, sortez-les du four, démoulez-les et laissez-les refroidir sur une grille. Réchauffez quelques minutes au four avant de servir.

Petites gougères au fromage***

* Préparez une pâte à choux et ajoutez-y le gruyère râpé. Avec une poche à douille, détaillez la pâte en forme de couronnes sur la plaque à pâtisserie du four. Faites cuire 15 à 20 minutes (th. 7, 210 °C). Laissez refroidir sur une grille. Réchauffez quelques minutes avant de servir.

Variante

* Les gougères seront également délicieuses garnies d'une sauce Béchamel.

* Temps de préparation : 10 minutes.

* Pour la sauce Béchamel, il vous faut 50 grammes de beurre, 100 grammes de farine, 2 verres de lait, 1 cuillerée à soupe de crème fraîche, sel et muscade râpée. Dans une casserole, faites fondre le beurre. Hors du feu, versez la farine en pluie et remuez énergiquement jusqu'à ce qu'elle soit entièrement absorbée. Remettez sur le feu, ajoutez le lait et battez pour obtenir une pâte lisse, puis incorporez la crème, salez et assaisonnez de muscade.

Pain surprise-tortue**

Temps de préparation : 1 h
Temps de repos : 3 h
Temps de cuisson : 30 min

🐋

250 g de farine de blé
250 g de farine de seigle
20 g de levure de boulanger
fondue dans 2 cuillerées à soupe
d'eau
50 g de beurre
1 cuillerée à café de sel
2 verres d'eau

* Préparez la pâte selon la recette de la page 15, en y ajoutant le beurre. Laissez-la reposer 2 heures dans un endroit tiède. Lorsqu'elle a doublé de volume, retravaillez-la et formez une tortue sur la plaque de cuisson farinée.

* Divisez la pâte en un gros pâton (le corps), deux moyens (la tête et la carapace), cinq petits (les pattes et la queue).

* Façonnez les quatre pattes et la queue ; disposez-les sur la plaque, déposez le corps dessus. Mettez la tête en place et posez la dernière boule aplatie sur le corps. Soudez tous les éléments entre eux avec un peu d'eau. Laissez la tortue gonfler 1 heure dans un endroit tiède, couverte d'un torchon.

* Avec un couteau, quadrillez la carapace, entaillez les pattes aux ciseaux, mettez en place deux raisins secs pour faire les yeux. Dorez ou farinez la tortue avant de la faire cuire 30 minutes environ à four assez chaud (th. 5/6, 175 °C).

* Quand la tortue est cuite et refroidie, creusez le corps et la carapace et préparez des sandwiches à la salade et aux œufs durs.

LES PÂTISSERIES
ET LES DESSERTS

Flans au caramel**

Pour 6 ramequins

Temps de préparation : 20 min

Temps de cuisson : 30 min

🐦

6 cuillerées à soupe de caramel
liquide (voir recette p. 108)
30 cl de lait
3 œufs
3 cuillerées à soupe de sucre
1 sachet de sucre vanillé

* Nappez le fond de chaque ramequin de 1 cuillerée à soupe de caramel liquide.

* Dans une casserole, faites bouillir le lait. Dans un grand bol, battez les œufs, le sucre et le sucre vanillé à la fourchette. Versez le lait bouillant sur le mélange. Battez à nouveau. Avec une louche, répartissez la crème dans les ramequins.

* Faites cuire 4 minutes dans le four à micro-ondes (température la plus basse), ou 30 minutes au bain-marie dans le four traditionnel (th. 8, 240 °C).

* Laissez refroidir et démoulez sur une assiette au moment de servir.

* Pour que la crème reste bien lisse, elle ne doit jamais bouillir.

Gâteau au chocolat**

Pour 8 personnes
Temps de préparation : 25 min
Temps de cuisson : 40 min

🦢

250 g de chocolat noir
125 g de beurre + 1 noix
pour le moule
6 œufs
1 pincée de sel
200 g de sucre en poudre
3 cuillerées à soupe de farine
1 cuillerée à soupe de Maïzena
Sucre glace ou 1 pack de crème
liquide pour le décor

* Cassez le chocolat en petits morceaux, ajoutez le beurre et faites fondre au bain-marie ou au micro-ondes.

* Préparez deux saladiers ; cassez les œufs en mettant les blancs dans l'un et les jaunes dans l'autre.

* Battez les blancs en neige ferme, avec 1 pincée de sel. Saupoudrez le sucre sur les jaunes et fouettez jusqu'à ce que le mélange blanchisse.

* Versez alors le mélange chocolat-beurre fondu et remuez.

* Quand la pâte est bien homogène, incorporez les blancs en neige petit à petit, en soulevant la pâte, puis la farine et la fécule en pluie.

* Beurrez un moule, remplissez-le de pâte et faites cuire à four moyen (th. 6, 180 °C) pendant 40 minutes environ. Au terme de la cuisson, une lame de couteau plantée dans le gâteau doit ressortir légèrement enduite.

* Laissez refroidir avant de démouler. Saupoudrez de sucre glace ou décorez de crème fouettée à la poche à douille.

Quatre-quarts**

Pour 8 personnes

Temps de préparation : 20 min

Temps de cuisson : 30 min

🐋

180 g de beurre

180 g de sucre

180 g de farine

3 œufs

Sucre cristallisé coloré

* Dans une terrine, travaillez le beurre ramolli avec le sucre. Séparez les blancs des jaunes d'œufs. Ajoutez les jaunes à la préparation, puis la farine en pluie, sans cesser de remuer. Battez les blancs en neige et incorporez-les délicatement à la pâte.

* Versez dans un moule beurré. Faites cuire à four moyen (th. 6, 180 °C) 30 minutes. Démoulez sur une grille et laissez refroidir.

* Décorez le quatre-quarts avec des arabesques de sucre cristallisé coloré (voir recette p. 103).

* Vous pouvez aussi présenter le quatre-quarts en forme de chat. Pour cela, il vous faut deux grands gâteaux ronds. Le premier sert pour le corps. Au milieu du second, prélevez la tête du chat. Servez-vous des chutes pour la queue et les oreilles et terminez en déposant quelques bonbons et rubans de réglisse.

Biscuit de Savoie**

Pour 6 à 8 personnes
Temps de préparation : 20 min
Temps de cuisson : 40 min

❧

6 œufs
150 g de sucre en poudre
1 cuillerée à soupe pour le moule
1 zeste de citron râpé (facultatif)
50 g de farine
50 g de Maïzena
1 pincée de sel
1 noix de beurre pour le moule

* Séparez les blancs des jaunes d'œufs. Avec un fouet, travaillez les jaunes et le sucre. Quand le mélange est bien crémeux, ajoutez éventuellement le zeste de citron, puis la farine et la fécule en pluie, en remuant avec une cuillère en bois.

* Salez les blancs, montez-les en neige ferme. Mettez 2 cuillerées de blancs dans la pâte pour la liquéfier un peu, puis faites glisser doucement le reste sur la pâte et incorporez délicatement afin que la préparation soit bien mousseuse.

* Beurrez soigneusement un moule, saupoudrez-le de sucre et versez la pâte.

* Faites cuire à four moyen (th. 6/7, 190 °C) pendant 40 minutes. Vérifiez la cuisson : une lame de couteau doit ressortir sèche si on l'introduit au centre du gâteau.

* Démoulez chaud sur une grille et laissez refroidir avant de garnir ou de servir nature avec une salade de fruits ou une crème.

* Vous pouvez aussi présenter le biscuit en forme de cœur, recouvert d'une fine couche de pâte d'amandes (voir recette p. 107). Pour cela, il vous faut deux gâteaux : un carré de 18 cm de côté et un rond de 18 cm de diamètre, coupé en deux. Placez les deux demi-cercles obtenus contre deux côtés perpendiculaires du carré et nappez le tout de la pâte d'amandes étalée au rouleau.

Tresses à l'orange**

Pour 2 tresses de 40 cm
Temps de préparation : 40 min
Temps de repos : 4 h
Temps de cuisson : 30 min

❧

20 g de levure de boulanger
fraîche ou 1 sachet de levure
lyophilisée
1/2 verre de lait
1 œuf
1/2 cuillerée à café de sel
500 g de farine
2 cuillerées à soupe de sucre
100 g de beurre
1/2 verre d'eau
1 pot de confiture d'oranges

Pour dorer
1 jaune d'œuf
1 cuillerée à soupe d'eau
1 cuillerée à café de sucre glace

* Faites dissoudre la levure dans le lait tiède. Battez l'œuf en omelette, avec le sel.

* Dans une grande terrine, faites un puits avec la moitié de la farine. Mettez-y l'œuf battu, le sucre, le beurre ramolli, l'eau tiède et la levure dissoute.

* Au fouet électrique, battez d'abord au milieu, en intégrant petit à petit la farine. Quand la pâte est homogène, déposez-la sur le plan de travail avec la farine restante. Mélangez du bout des doigts, puis pétrissez avec la paume de la main et tapez la pâte jusqu'à ce

qu'elle ne colle plus du tout. Formez une belle boule lisse. Remettez-la dans la terrine et recouvrez-la d'un torchon. Laissez la pâte reposer pendant 2 heures dans un endroit tiède (en hiver, l'idéal est sur un radiateur). Préchauffez le four (th. 6/7, 190 °C).

* Quand la pâte a doublé de volume, travaillez-la avec les mains farinées pour la faire redescendre. Reformez une boule et partagez-la en deux pour faire deux tresses. Réservez une moitié sous un torchon pour qu'elle ne sèche pas. Partagez l'autre moitié en trois. Sur le plan de travail bien fariné, roulez chaque pâton en forme de saucisson, puis aplatissez-les au rouleau à pâtisserie, jusqu'à obtenir trois rectangles de 40 centimètres de long sur 8 centimètres de large environ. Garnissez chacun d'un ruban de confiture d'oranges. Enroulez chaque pâton sur la confiture, pincez la pâte pour bien faire adhérer les bords. Sur la plaque du four farinée, disposez côte à côte les trois rouleaux, soudez-les à l'une des extrémités et tressez-les comme une natte.

* Procédez de la même manière avec la pâte mise en attente. Couvrez les deux nattes avec le torchon et laissez-les reposer dans un endroit tiède pendant encore 2 heures. Quand les pains ont doublé de volume, dorez-les au pinceau avec le mélange jaune d'œuf-eau-sucre.

* Faites cuire pendant 30 minutes. Les pains sont cuits quand ils sont dorés.

Gâteau au yaourt**

Pour 6 personnes

Temps de préparation : 15 min

Temps de cuisson : 45 min

❧

3 œufs

La valeur de 1/2 pot de yaourt
de sucre en poudre

1/2 pot d'huile

1 yaourt nature

2 pots de farine

1 sachet de levure chimique

1 zeste d'orange râpé

* Cassez les œufs dans une terrine, ajoutez le sucre et battez au fouet jusqu'à ce que le mélange blanchisse. Versez l'huile en filet, en continuant à fouetter, puis le yaourt et enfin la farine mélangée à la levure. Parfumez avec le zeste d'orange.

* Huilez un moule avec un pinceau, saupoudrez-le de farine, retournez-le et tapez avec la main pour faire retomber l'excédent de farine. Versez la pâte dans le moule.

* Faites cuire 45 minutes (th. 6/7, 190 °C). Vérifiez la cuisson : une lame de couteau doit ressortir sèche si on l'introduit au centre du gâteau. Démoulez chaud.

* Vous pouvez présenter ce gâteau en forme de poisson. Pour cela, il vous faut deux gâteaux carrés : un grand et un plus petit, coupé en deux diagonalement. N'utilisez qu'un des deux triangles obtenus pour la queue du poisson. Divisez ce triangle en deux autres, placés de chaque côté d'un des angles du premier carré.

Variante
Aux fruits

* Tapissez le fond d'un plat à gratin de 4 poires ou pommes coupées en petits morceaux. Éparpillez un peu de beurre sur les fruits, saupoudrez de sucre et versez la pâte. Garnissez d'amandes effilées et faites cuire au four.

Gâteau roulé à la confiture**

**Pour une plaque
de 30 cm x 40 cm**
Temps de préparation : 20 min
Temps de cuisson : 10 min

🐦

4 œufs
125 g de sucre en poudre
1 sachet de sucre vanillé
125 g de farine
1 noix de beurre
(pour le papier de cuisson)

Pour la garniture
1 pot de gelée de fruits rouges
Sucre glace

* Dans une terrine, travaillez les jaunes d'œufs avec le sucre en poudre et le sucre vanillé, jusqu'à ce que le mélange blanchisse. Ajoutez petit à petit la farine puis les blancs montés en neige.

* Préchauffez le four (th. 8, 240 °C).

* Tapissez la lèchefrite d'un papier sulfurisé beurré et versez la pâte dessus. Enfournez et faites cuire 10 minutes. Dès la sortie du four, retournez le biscuit sur un torchon mouillé. Attendez 5 minutes avant de soulever et de rouler ensemble papier et biscuit.

* Laissez refroidir, puis déroulez avec précaution et retirez le papier. Étalez la confiture et enroulez à nouveau. Servez saupoudré de sucre glace.

Variante
Bûche de Noël

* Le gâteau roulé sera une excellente base pour préparer la traditionnelle bûche de Noël.

* Remplacez alors la confiture par de la crème de marrons. Simulez l'écorce du bois par une crème au beurre (voir recette p. 26) striée à la fourchette et garnissez de champignons en meringue.

Gâteau marbré et ganache**

Pour 6 à 8 personnes
Temps de préparation : 30 min
Temps de cuisson : 50 min

🐋

Pour le gâteau
3 œufs
150 g de sucre
150 g de beurre + 1 noix
pour le moule
150 g de farine
1/2 paquet de levure chimique
1 pincée de sel
1 sachet de sucre vanillé
3 cuillerées à soupe de cacao
amer

Pour la ganache
200 g de chocolat noir
100 g de crème fraîche

* Préparez deux saladiers, cassez les œufs, mettez les blancs dans l'un et les jaunes dans l'autre. Versez le sucre sur les jaunes, puis battez-les jusqu'à obtenir une consistance crémeuse. Ajoutez le beurre ramolli. Mélangez la farine avec la levure et, petit à petit, incorporez-les à la préparation.

* Montez les blancs en neige, avec la pincée de sel.

* Incorporez délicatement les blancs en neige à la pâte. Parfumez une moitié de cette préparation avec le sucre vanillé, et l'autre moitié avec le cacao. Garnissez un moule beurré en alternant les couches de pâte à la vanille et de pâte au chocolat.

* Faites cuire à four moyen (th. 6/7, 200 °C) pendant 50 minutes environ. Vérifiez la cuisson en piquant une lame de couteau dans le gâteau – celle-ci doit ressortir sans traces de pâte.

* Préparez la ganache. Faites bouillir la crème. Hachez finement le chocolat.

* Versez la crème bouillante sur le chocolat et mélangez soigneusement. Lorsque la ganache est lisse, laissez-la tiédir et versez-la au milieu du gâteau. Étalez-la très rapidement à la spatule, lissez les bords.

Fougasse aux pommes**

Pour 6 à 8 personnes

Temps de préparation : 40 min
Temps de repos : 1 h 10
Temps de cuisson : 30 min

❧

Pour la pâte

15 g de levure de boulanger
ou 1 sachet (7 g)
de levure sèche
6 cuillerées à soupe de lait tiède
1 cuillerée à soupe de sucre
250 g de farine
1 pincée de sel
30 g de beurre fondu
1 œuf battu

Pour la garniture

100 g de fromage blanc à 20 %
3 petits-suisses
2 cuillerées à soupe de miel
2 cuillerées à soupe de lait
en poudre
4 belles pommes
3 cuillerées à soupe de sucre
cristallisé
1 cuillerée à soupe de cannelle
en poudre
Quelques cerneaux de noix
et pruneaux en morceaux
(facultatif)

* Diluez la levure dans le lait tiède. Incorporez le sucre et 1 cuillerée à soupe de farine. Laissez reposer 10 minutes. Préchauffez le four (th. 6/7, 200 °C).

* Dans un grand saladier, mettez le reste de farine et le sel. Faites un puits, mettez-y le beurre, l'œuf et la levure. Pétrissez la pâte et laissez-la reposer 1 heure dans un endroit tiède. Étendez la pâte sur la plaque du four farinée. Préparez la garniture en mélangeant le fromage blanc, les petits-suisses, le miel et le lait en poudre. Étendez cette crème sur la pâte. Épluchez les pommes, épépinez-les et coupez-les en lamelles. Disposez ces lamelles sur le dessus de la fougasse de manière à former, comme ici, les écailles des poissons. Saupoudrez de sucre et de cannelle. Faites cuire au four (th. 6/7, 200 C) pendant 30 minutes.

* Éventuellement, décorez de cerneaux de noix et de pruneaux.

Galette feuilletée à la frangipane***

Pour 8 à 10 personnes

Temps de préparation : 35 min

Temps de cuisson : 40 min

∼

*Pâte feuilletée traditionnelle
(voir recette p. 17) ou 2 rouleaux
de pâte feuilletée prête à l'emploi
1 jaune d'œuf*

Pour la frangipane

*1 verre de lait
1 sachet de sucre vanillé
1 jaune d'œuf
1 cuillerée à soupe de Maïzena
100 g de sucre en poudre
100 g de beurre
125 g de poudre d'amandes*

✳ Parfumez le lait avec le sucre vanillé et faites-le bouillir.

✳ Dans un bol, mélangez le jaune d'œuf avec la Maïzena et le sucre. Versez le lait bouillant sur le mélange. Reversez la préparation dans la casserole et réchauffez en tournant jusqu'à ce que la crème ait épaissi. Hors du feu, ajoutez le beurre puis la poudre d'amandes. Préchauffez le four (th. 6/7, 200 °C).

✳ Étalez la pâte feuilletée et coupez-la en deux parts égales. Ou bien déroulez un des disques de pâte feuilletée avec son papier sur la tôle du four. Versez la frangipane au milieu. Réservez 1 centimètre tout autour et humectez le bord avec un peu d'eau. Posez le deuxième disque dessus, sans appuyer. Enlevez le papier et soudez les bords, dorez avec le jaune d'œuf.

✳ Enfournez et laissez cuire pendant 40 minutes environ.

✳ La galette doit être bien dorée. Elle sera servie tiède, mais elle se réchauffe très bien si elle a été préparée à l'avance.

Crumble aux fruits*

Pour 6 à 8 personnes
Temps de préparation : 15 min
Temps de cuisson : 20 min

🐌

125 g de beurre
125 g de sucre roux
200 g de farine
500 g de fruits rouges mélangés
(groseilles, cassis, framboises,
mûres, cerises de Montmorency)
100 g de sucre

* Dans une terrine, mélangez le beurre coupé en petits morceaux avec le sucre et la farine. Travaillez le mélange du bout des doigts, jusqu'à ce qu'il devienne « sableux ».

* Disposez les fruits dans un plat en porcelaine à feu, saupoudrez de sucre et couvrez d'une mince couche de la préparation précédente. Faites cuire environ 20 minutes (th.6/7, 200 °C). Le dessert est cuit lorsque la croûte est dorée. Servez tiède.

* Accompagnez ce dessert d'une sauce froide : crème liquide légèrement fouettée et sucrée ou crème anglaise.

* En automne, les fruits rouges seront remplacés par des petits cubes de poires et de pommes saupoudrés de cannelle.

Clafoutis*

Pour 6 à 8 personnes
Temps de préparation : 15 min
Temps de cuisson : 45 min

~❧

4 œufs
1 pincée de sel
125 g de sucre en poudre
80 g de farine
60 g de beurre + 1 noix
pour le plat
1/4 l de lait
500 g de cerises équeutées
et dénoyautées
Sucre glace pour le décor

* Dans une terrine, cassez les œufs, battez-les en omelette, ajoutez le sel et le sucre. En continuant à battre, incorporez la farine en pluie, puis la moitié du beurre préalablement fondu et enfin le lait. Beurrez un moule en porcelaine à feu et garnissez-le des cerises. Versez la pâte sur les fruits et parsemez la surface avec le beurre restant coupé en petits morceaux. Faites cuire au four pendant 45 minutes (th 6, 220 °C).

* Servez tiède, saupoudré de sucre glace.

* En automne, les cerises seront remplacées par des grains de raisin ou encore des quetsches ouvertes en deux et dénoyautées.

Variante
Far breton
* Il vous suffit de remplacer les cerises par des pruneaux.

Gratin de fruits*

Pour 6 personnes
Temps de préparation : 15 min
Temps de cuisson : 20 min

☙

1 orange, 1 poire, 1 pêche,
1 tranche d'ananas
500 g de fraises des bois

Pour la crème
2 verres de lait,
1 sachet de sucre vanille
2 œufs
3 cuillerées à soupe de sucre
3 cuillerées à soupe de farine
20 cl de crème liquide

* Lavez et préparez les fruits. Disposez-les dans des ramequins. Faites bouillir le lait avec le sucre vanillé.

* Cassez les œufs ; séparez les blancs des jaunes. Au fouet électrique, travaillez les jaunes avec le sucre. Incorporez la farine, puis le lait bouillant.

* Remettez la préparation dans la casserole. Donnez un bouillon, sans cesser de remuer.

* Montez les blancs en neige. Fouettez la crème. Mélangez délicatement les trois préparations et versez sur les fruits. Placez les ramequins sous le gril du four très chaud, afin de faire gratiner rapidement.

Charlotte aux poires et aux kiwis

Pour 8 personnes

Temps de préparation : 35 min

Temps de repos : 7 à 8 h

彩

6 poires fondantes
150 g de sucre cristallisé
3 cuillerées à soupe de sirop
de framboise
30 biscuits à la cuillère
20 cl de crème liquide stérilisée
50 g de sucre glace
2 kiwis

* Pelez les poires, coupez-les en quatre, retirez cœur et pépins. Préparez un sirop léger avec 1 verre d'eau et le sucre cristallisé. Mettez les poires dans ce sirop bouillant et faites-les pocher jusqu'à ce qu'elles soient tendres.

* Chemisez le fond et les bords d'un moule à charlotte de 16 centimètres de diamètre avec les biscuits à la cuillère imbibés du sirop de cuisson des poires parfumé au sirop de framboise.

* Fouettez la crème en chantilly et ajoutez le sucre glace. Coupez les poires en petits cubes. Mélangez délicatement poires et crème fouettée, puis versez dans le moule.

* Terminez par une couche de biscuits imbibés.

* Couvrez le moule avec son couvercle ou une assiette et mettez au réfrigérateur pendant 7 à 8 heures.

* Démoulez la charlotte et garnissez-la de rondelles de kiwis.

Régal aux fruits rouges**

Pour 8 personnes
Temps de préparation : 40 min
Temps de cuisson : 10 min

🐋

Pour la pâte
4 blancs d'œufs
100 g de sucre en poudre
120 g de farine
1 pincée de sel
*3 cuillerées à soupe de crème
fraîche épaisse*

Pour la garniture
1 petit verre de lait
2 cuillerées à soupe de sucre
1 sachet de sucre vanillé
*1 cuillerée à soupe bombée
de Maïzena*
4 jaunes d'œufs
300 g de fraises
300 g de framboises
300 g de myrtilles ou groseilles
Sucre glace pour le décor

* Taillez quatre disques de 23 centimètres de diamètre dans du papier sulfurisé et beurrez-les.

* Mélangez les blancs d'œufs et le sucre, ajoutez la farine en pluie, le sel et enfin la crème. Avec une spatule, étalez la pâte en couche mince sur les disques de papier. Faites cuire à four chaud (th. 7/8, 230 °C) 5 minutes environ – le bord de la pâte doit juste être doré. Retirez les papiers et laissez refroidir les gâteaux bien à plat.

* Pendant ce temps, mettez le lait dans une casserole, faites-le bouillir avec le sucre et le sucre vanillé. Délayez la Maïzena dans un peu d'eau, versez-la dans le lait, remuez et gardez l'ébullition pendant 5 minutes. Hors du feu, incorporez rapidement les jaunes d'œufs un à un. Préparez les fruits. Quand la crème est froide, étendez-la sur trois des disques.

* Garnissez de fruits et superposez les disques. Terminez par le dernier disque saupoudré de sucre glace.

* Tous les éléments qui composent le gâteau peuvent être préparés à l'avance, mais vous ne devez le monter que peu de temps avant de servir, afin que les disques restent croquants.

Marquise au chocolat**

Pour 6 à 8 personnes
Temps de préparation : 30 min
Temps de repos : 7 à 8 h

❧

Pour la marquise
250 g de chocolat
3 cuillerées à soupe d'eau
125 g de beurre ramolli
3 œufs, 100 g de sucre glace
Extrait de vanille

Pour la crème anglaise
2 jaunes d'œufs
50 g de sucre vanillé
1/4 l de lait

* Cassez le chocolat en petits morceaux dans une casserole, ajoutez l'eau et faites fondre à feu très doux ou au micro-ondes.

* Malaxez le beurre jusqu'à la consistance d'une pommade. Séparez les blancs des jaunes d'œufs. Montez les blancs en neige ferme. Incorporez les jaunes un à un dans le beurre en crème, puis ajoutez le sucre glace. Travaillez longuement la préparation, puis mélangez avec le chocolat fondu et l'extrait de vanille.

* Laissez refroidir complètement avant d'ajouter petit à petit les blancs en neige. Beurrez un moule et versez-y la préparation. Mettez au réfrigérateur pendant au moins 7 à 8 heures.

* Préparez la crème anglaise. Dans un saladier, battez les jaunes d'œufs avec le sucre. Versez le lait bouillant sur le mélange. Reversez le mélange dans la casserole pour le faire épaissir, en chauffant doucement et sans cesser de remuer. La crème doit napper la cuillère.

* Très important : arrêtez la cuisson avant l'ébullition.

* Au moment de servir, trempez le moule quelques minutes dans l'eau chaude pour faciliter le démoulage. Servez accompagné de crème anglaise.

Mousse au chocolat**

Pour 6 personnes
Temps de préparation : 20 min

200 g de chocolat en tablette
4 cuillerées à soupe de café fort
4 œufs
100 g de beurre
4 cuillerées à soupe de sucre glace

* Dans une terrine, cassez le chocolat en petits morceaux et versez le café dessus. Sans remuer, faites fondre le chocolat au bain-marie. Séparez les blancs et les jaunes d'œufs. Quand le chocolat est fondu, ajoutez le beurre, les jaunes d'œufs et le sucre, battez le mélange, toujours sur le bain-marie tiède. Montez les blancs en neige ferme et incorporez-les délicatement hors du feu.

* Répartissez la mousse dans les ramequins et conservez au réfrigérateur jusqu'au moment de servir.

Beignets aux pommes**

Pour 18 beignets

Temps de préparation : 20 min

Temps de cuisson : 20 min

🦐

125 g de farine
1 œuf
1 pincée de sel
1 cuillerée à soupe de sucre
1 cuillerée à soupe d'huile
1 verre d'eau, de lait ou de bière
1 zeste de citron ou 1 cuillerée
à soupe de fleur d'oranger
4 pommes
Sucre glace

* Versez la farine dans une terrine, faites un puits au centre. Mettez-y l'œuf, le sel, le sucre, l'huile, et mélangez. Quand la pâte est bien lisse, ajoutez le lait, l'eau ou la bière. Parfumez avec le zeste de citron ou la fleur d'oranger.

* Épluchez les pommes. Évidez-les et coupez-les en rondelles épaisses.

* Faites chauffer la friteuse à 175 °C. Trempez les rondelles de pomme une à une dans la pâte et plongez-les dans l'huile chaude. Quand les beignets sont dorés d'un côté, retournez-les avec une fourchette. Retirez les beignets avec une écumoire et déposez-les sur une feuille de papier absorbant.

* Saupoudrez de sucre glace et dégustez bien chaud.

Pets-de-nonne***

Pour 25 pets-de-nonne

Temps de préparation : 20 min

Temps de cuisson : 20 min

🍋

100 g de noix de coco râpée

100 g de sucre + 1 cuillerée
à soupe pour la pâte

1/4 l d'eau

75 g de beurre

1/2 cuillerée à café de sel

150 g de farine

4 œufs

* Dans une poêle, mélangez la noix de coco et le sucre. Chauffez doucement et remuez jusqu'à ce que le mélange soit doré. Tout l'arôme de la noix de coco va alors se dégager.

* Préparez la pâte. Dans une casserole, mettez l'eau, le beurre, le sucre et le sel. Dès que le mélange bout, baissez le feu. Versez la farine en une seule fois et remuez vigoureusement, jusqu'à ce que la pâte se détache de la casserole. Hors du feu, incorporez les œufs un à un, puis la moitié de la noix de coco caramélisée.

* Faites chauffer la friteuse à 150 °C et faites tomber dans l'huile des petites cuillerées de pâte – cinq ou six à la fois, pas plus, car les beignets vont gonfler ; retournez-les avec une fourchette. Quand ils sont dorés des deux côtés, sortez-les, égouttez-les et roulez-les dans la noix de coco restante. Servez chaud.

Gâteau de crêpes**

Pour 6 à 8 personnes
Temps de préparation : 15 min
Temps de repos : 1 h
Temps de cuisson : 1 h

Temps de cuisson : 1 h

12 crêpes (voir recette p. 20)
150 g de chocolat « dessert »
250 g de margarine végétale
1 boîte de lait concentré sucré
100 g de noix, noisettes ou amandes hachées

* Faites fondre le chocolat et la margarine au bain-marie. Mélangez, ajoutez le lait concentré et le hachis de fruits secs. Remuez à nouveau. Empilez les crêpes en étendant une couche de pâte chocolatée sur chacune d'elles.

* Cette pâte à tartiner se conserve bien au frais. Elle aura également beaucoup de succès sur les tartines du goûter.

Crêpes Suzette**

Pour 24 crêpes
Temps de préparation : 20 min
Temps de cuisson : 1 h

🐌

5 œufs, 100 g de sucre en poudre
Le zeste râpé de 1 orange
100 g de beurre, 1/2 l de lait
1/4 l d'eau, 200 g de farine

Pour la crème
150 g de beurre
150 g de sucre glace
Le zeste râpé et le jus de 1 orange

Pour flamber
(uniquement pour les grands !)
1 petit verre de Grand Marnier

✳ Cassez les œufs, mettez les blancs dans une terrine, les jaunes dans une autre. Battez les blancs en neige. Fouettez les jaunes en ajoutant le sucre, le zeste, le beurre ramolli, le lait et l'eau tiédis, la farine en pluie. Incorporez les blancs battus en neige.

✳ Faites cuire les crêpes sur une crêpière bien chaude, sans gras. Empilez-les au fur et à mesure pour les garder chaudes et souples.

✳ Préparez la crème : incorporez le sucre glace au beurre ramolli, parfumez au jus et au zeste d'orange. Étalez une mince couche de crème sur chaque crêpe, pliez-les en quatre et disposez-les en éventail sur un plat de service. Couvrez le plat et tenez-le au chaud.

✳ Au moment de servir, saupoudrez les crêpes chaudes de sucre, arrosez avec la liqueur tiédie et flambez.

Gaufres à l'orange**

Pour 24 gaufres
Temps de préparation : 20 min
Temps de cuisson : 1 h 30
🐦
1/4 l de lait
1/4 l d'eau
100 g de beurre
100 g de sucre
4 œufs
300 g de farine
Le zeste râpé et le jus de 1 orange

* Faites tiédir le lait et l'eau. Faites-y fondre le beurre et le sucre. Préparez deux terrines. Cassez les œufs et séparez les blancs des jaunes. Montez les blancs en neige; battez les jaunes avec le mélange lait-eau-beurre-sucre.

* Versez la farine en pluie. Quand la pâte est lisse, ajoutez le jus d'orange, le zeste et enfin les blancs en neige, en soulevant délicatement la pâte. Faites cuire dans le gaufrier préalablement chauffé, sans oublier d'huiler la plaque.

* Servez avec une crème Chantilly parfumée à la confiture d'oranges.

Blinis**

Pour 24 blinis ou 60 mini-blinis
Temps de préparation : 30 min
Temps de repos : 2 h
Temps de cuisson : 1 h

૱

1/4 l de lait
15 g de levure de boulanger
ou 1 sachet de levure lyophilisée
3 œufs, 1 yaourt,
20 cl de crème fraîche
350 g de farine
1 pincée de sel

∗ Faites tiédir le lait et délayez-y la levure. Cassez les œufs, séparez les blancs et les jaunes. Dans une grande terrine, mélangez les jaunes avec le yaourt, la crème et la farine. Ajoutez la levure fondue dans le lait. Couvrez la terrine d'un linge et laissez monter la pâte dans un endroit tiède pendant au moins 2 heures. Salez les blancs et montez-les en neige ferme. Quand la pâte a doublé de volume, incorporez délicatement les blancs.

∗ Graissez et chauffez une poêle à blinis. Versez-y 1 petite louche de pâte. Faites cuire doucement la première face. Quand le blini se détache de la poêle retournez-le pour dorer l'autre face.

∗ Pour faire des mini-blinis, versez délicatement 5 cuillerées à soupe de pâte convenablement espacées dans une poêle graissée et bien chaude. Faites cuire comme précédemment.

∗ Les blinis seront servis tièdes arrosés de crème liquide et de sirop d'érable.

∗ Ils pourront également accompagner des filets de poisson fumés (saumon, anguille) ou des œufs de poisson.

Œufs à la neige***

Pour 6 personnes
Temps de préparation : 20 min
Temps de cuisson : 15 min

🍂

6 œufs
200 g de sucre
1 l de lait
1 sachet de sucre vanillé
ou 1 cuillerée à café d'extrait
de vanille
1 cuillerée à soupe de sucre glace
1 pincée de sel

* Préparez deux terrines. Cassez les œufs ; mettez les blancs dans l'une, les jaunes dans l'autre. Dans une grande casserole, chauffez le lait avec le sucre, le sucre vanillé ou l'extrait de vanille. Montez les blancs en neige avec le sel. Ajoutez le sucre glace en pluie et battez encore un peu pour les raffermir. Prélevez 1 grosse cuillerée à soupe de blancs en neige, déposez-la à la surface du lait chaud. Pochez 15 secondes, retournez, pochez encore 15 secondes, puis réservez sur un papier absorbant.

* Battez les jaunes et versez dessus le lait bouillant. Remettez ce mélange dans la casserole et laissez cuire jusqu'à ce que la crème nappe la cuillère. Celle-ci doit cuire doucement, sans bouillir.

* Versez la crème dans un plat creux ou des coupelles individuelles et déposez les blancs en neige pochés à la surface. Servez tiède ou froid. Pour la garniture, saupoudrez les œufs d'un peu de cacao ou de pralin. Une petite pelote de cheveux d'ange (voir recette p. 108) est très jolie aussi, mais elle ne pourra être déposée sur les œufs qu'au dernier moment.

Variante
Œufs à la neige au caramel

* Vous pouvez également verser un filet de caramel liquide sur les œufs.

* Pour le caramel liquide, il vous faut 200 grammes de sucre, 2 cuillerées à soupe d'eau, 1 cuillerée à soupe de vinaigre et 1 verre d'eau chaude.

* Dans une petite casserole, mettez le sucre, l'eau et le vinaigre, mélangez. Laissez cuire sans remuer jusqu'à ce que le caramel soit uniformément doré. Éteignez le feu, laissez les bulles retomber. Versez doucement l'eau chaude sur le caramel, en remuant. Réchauffez 1 minute si c'est nécessaire : le caramel doit être parfaitement dissous.

* Le caramel liquide se conserve très bien dans un bocal au réfrigérateur.

Île flottante***

Temps de préparation : 15 min
Temps de cuisson : 20 min

🐌

Pour l'île flottante
6 blancs d'œufs
1 pincée de sel
200 g de sucre
1 cuillerée à dessert de vinaigre
4 cuillerées à soupe d'eau

Pour la crème anglaise
1 l de lait
1 gousse de vanille ou 1 cuillerée à café d'extrait de vanille
6 jaunes d'œufs
125 g de sucre

* Préparez la crème anglaise (voir p. 24).

* Dans un bain-marie tiède, battez les blancs en neige ferme, avec le sel.

* Dans une petite casserole, mettez le sucre, le vinaigre et l'eau. Chauffez et mélangez. Quand le sirop est clair, laissez cuire sans remuer jusqu'à obtenir un caramel juste coloré sur le bord de la casserole.

* Sans cesser de battre au fouet électrique, versez doucement le caramel sur les blancs en neige, qui vont doubler de volume.

* Pour servir, démoulez les blancs ainsi cuits sur la crème anglaise.

Variantes
Coulis de fruits

* Mixez 400 grammes de fruits frais, surgelés ou en conserve. Ajoutez 100 grammes de sucre glace (plus ou moins suivant que les fruits sont déjà sucrés ou non) et le jus de 1/2 citron. Démoulez l'île flottante sur ce coulis.

Crème anglaise pralinée

* Préparez une crème anglaise. Mettez 100 grammes d'amandes effilées et 100 grammes de sucre cristallisé dans une poêle. Chauffez sans cesser de remuer avec une cuillère en bois, jusqu'à ce que les amandes soient blondes et enrobées de caramel. Versez sur le marbre. Laissez refroidir. Écrasez au rouleau à pâtisserie et mélangez ce pralin à la crème anglaise.

* Le pralin se conserve très bien dans un bocal fermé. Il peut également servir à parfumer des glaces.

Pain perdu**

* Dans un saladier, cassez les œufs, ajoutez le lait et le sucre, battez en omelette.

* Dans une grande poêle, chauffez le beurre et l'huile. Trempez les tranches de pain dans la préparation aux œufs. Quand elles sont bien imbibées, mettez-les dans la poêle très chaude. Laissez dorer sur une face, retournez, parsemez de raisins imbibés de jus d'orange et faites dorer la deuxième face.

* Servez bien chaud.

Tarte aux pommes**

**Pour 1 grande tarte
ou 15 tartelettes**
Temps de préparation : 25 min
Temps de repos : 1 h
Temps de cuisson : 30 min

❧

1 œuf
125 g de sucre
1 pincée de sel
250 g de farine
125 g de beurre

Pour la garniture
4 grosses pommes
1 grosse noix de beurre
2 cuillerées à soupe de sucre

* Préparez une pâte sablée selon la recette de la page 14. Quand elle a reposé au moins 1 heure, étendez-la au rouleau et garnissez-en un moule à tarte.

* Épluchez et évidez les pommes, coupez-les en quatre, puis en fines lamelles. Disposez-les joliment sur la pâte, parsemez le beurre à la surface, saupoudrez de sucre et faites cuire à four moyen (th. 6, 180 °C) pendant environ 30 minutes. Les pommes doivent être dorées.

Variante
Tarte meringuée

* Faites cuire le fond de tarte à blanc. Préparez une compote de pommes ; étalez-la sur la pâte cuite et refroidie.

* Mettez 3 blancs d'œufs et 200 grammes de sucre dans une terrine placée sur un bain-marie tiède. Battez au fouet électrique. Quand la neige est ferme, battez-la encore un peu hors du feu.

* Recouvrez la tarte de cette meringue avant de la passer 10 minutes sous le gril préchauffé (th. 8/9, 250 °C).

Pain d'épice**

**Pour une plaque de 38 cm
x 36 cm**
Temps de préparation : 20 min
Temps de repos : 30 min
Temps de cuisson : 20 min

❧

*1 grande tasse de lait
4 cuillerées à soupe de miel
1 cuillerée à soupe de beurre
150 g de sucre cristallisé,
blanc ou roux
1 cuillerée à café de bicarbonate
de soude
250 g de farine
1 cuillerée à soupe d'anis
en grains
Épices (vanille, cannelle, muscade,
clous de girofle)*

* Dans une grande casserole, faites tiédir le lait. Ajoutez le miel, le beurre, le sucre et, quand le mélange est homogène, le bicarbonate de soude. Battez au fouet électrique et incorporez doucement la farine pour éviter les grumeaux. Ajoutez les grains d'anis et les autres épices choisies. Mélangez puis laissez reposer au moins 30 minutes.

* Beurrez et farinez la lèchefrite. Versez-y la pâte. Faites cuire à feu doux (150 °C, th. 5) pendant 20 minutes environ.

* Dès que le pain d'épice est doré, réduisez la température du four. Vérifiez la cuisson avec une lame de couteau enfoncée dans le gâteau : elle doit ressortir sans aucune trace. Démoulez le pain d'épice sur une planche en bois et découpez-le à l'emporte-pièce. Les petits morceaux seront délicieux dans la glace au pain d'épice (voir recette p. 83).

* Vous pouvez également cuire le pain d'épice dans un moule à cake et le servir coupé en tranches : pensez simplement à augmenter un peu le temps de cuisson.

Variante
Nonnettes
* Faites cuire la pâte dans des petits moules à bords lisses.
* Laissez refroidir et nappez d'un glaçage (voir recette p. 77).

LES PETITS GÂTEAUX

Friands aux amandes (visitandines)*

Pour 20 petits friands

Temps de préparation : 10 min

Temps de cuisson : 15 min

ﻌﺒ

50 g de poudre d'amandes

130 g de sucre cristallisé

70 g de farine

4 blancs d'œufs

1 pincée de sel

130 g de beurre

* Préchauffez le four (th. 6/7, 200 °C). Mélangez la poudre d'amandes, le sucre et la farine tamisée. Incorporez un à un les blancs d'œufs. Ajoutez le sel puis le beurre que vous aurez préalablement fait fondre au bain-marie.

* Beurrez les petits moules et remplissez-les aux trois quarts. Laissez cuire 15 minutes environ.

* Démoulez dès la sortie du four.

Petits cakes aux raisins et aux fruits confits*

Pour 25 cakes

Temps de préparation : 20 min

Temps de cuisson : 30 min

🍰

250 g de beurre
200 g de sucre
5 œufs
300 g de farine
1 pincée de sel
300 g de raisins de Corinthe
et de fruits confits en petits
morceaux (écorces d'orange,
figues, abricots, cerises)

* Préchauffez le four (th. 6, 180 °C). Dans une grande terrine, travaillez le beurre ramolli avec le sucre. Ajoutez les jaunes d'œufs, puis la farine en pluie. Battez les blancs en neige ferme, avec 1 pincée de sel. Incorporez les raisins et les fruits confits, en soulevant la pâte délicatement. Répartissez cette pâte dans des caissettes de papier plissé et faites cuire au four (th. 6, 180 °C) environ 30 minutes.

* Les gâteaux sont cuits lorsqu'ils sont gonflés et dorés. Une lame de couteau enfoncée dans le milieu doit ressortir parfaitement sèche.

* Si vous optez pour un grand cake, multipliez le temps de cuisson par deux.

Petites brioches rapides*

Pour 20 brioches

Temps de préparation : 10 min

Temps de cuisson : 20 min

❧

3 œufs

20 cl de crème fraîche liquide

1/2 cuillerée à café de sel

2 cuillerées à soupe de sucre

250 g de farine

1 paquet de levure chimique

* Dans le bol d'un mixeur, mettez les œufs, la crème, le sel et le sucre. Pendant que l'appareil tourne, ajoutez peu à peu la farine et la levure.

* Remplissez de cette pâte de petites caissettes de papier plissé.

* Faites cuire environ 20 minutes à four chaud (th. 6/7, 190 °C).

Madeleines*

Pour 40 madeleines
Temps de préparation : 15 min
Temps de cuisson : 15 min
❧
120 g de beurre
300 g de sucre
6 œufs
200 g de farine
1 pincée de sel

* Fouettez le beurre fondu avec le sucre jusqu'à ce que le mélange blanchisse. Ajoutez les jaunes d'œufs et la farine.

* Battez les blancs en neige ferme, avec le sel. Incorporez-les en soulevant délicatement la pâte. Beurrez les moules et déposez 1 cuillerée à soupe de pâte dans chacun. Faites cuire à four chaud (th. 8, 240 °C) pendant 10 à 15 minutes.

* Démoulez les madeleines quand elles sont bien dorées et laissez-les refroidir sur une grille.

Meringues**

Pour 50 meringues
Temps de préparation : 20 min
Temps de cuisson : 30 min

🐚

4 blancs d'œufs
1 pincée de sel
280 g de sucre en poudre
ou de sucre glace
1 sachet de sucre vanillé

* Préparez un bain-marie : mettez de l'eau dans une grande casserole, posez un saladier adapté au diamètre et chauffez doucement (l'eau ne doit pas bouillir). Mélangez les blancs d'œufs, le sel et le sucre vanillé dans le saladier. Battez au fouet électrique, d'abord lentement, puis de plus en plus vite, jusqu'à obtenir une pâte blanche brillante et ferme. Retirez le saladier du bain-marie et continuez à battre jusqu'à refroidissement de la pâte.

* Préchauffez le four (th. 7/8, 220 °C).

* Sur une tôle beurrée et farinée, disposez des petits tas de pâte bien espacés, car les meringues vont gonfler. Enfournez en baissant la température (th. 3/4, 100 °C). Faites cuire pendant 20 à 30 minutes, suivant la grosseur des meringues. Les meringues sont cuites lorsqu'elles ont doublé de volume et que, bien blanches, elles se détachent facilement de la plaque.

Variantes
Champignons
* Sur la plaque, faites autant de petits tas ronds que de bâtonnets. Gardez un peu de pâte pour l'assemblage. Quand les meringues sont cuites et refroidies, trempez une extrémité des bâtonnets dans la pâte non cuite et enfoncez-la sous un petit chapeau.

* Saupoudrez un peu de vergeoise ou de chocolat en poudre sur les champignons.

Rochers
* Ajoutez 80 grammes de noix de coco râpée dans la pâte à meringue.

Macarons
* Ajoutez 80 grammes de poudre d'amandes dans la pâte à meringue.

Sablés à la confiture*

Pour 10 sablés

Temps de préparation : 20 min

Temps de repos : 1 h

Temps de cuisson : 15 min

🐌

250 g de farine
100 g de sucre cristallisé
ou en poudre
1 pincée de sel
125 g de beurre
1 œuf entier
1 pot de confiture (par exemple
fraises ou abricots)

* Mélangez la farine, le sucre et le sel. Versez sur le plan de travail et ajoutez le beurre un peu ramolli. Travaillez du bout des doigts jusqu'à ce que la farine ait absorbé tout le beurre. Le mélange doit faire des petits grains, comme du sable. Faites un puits, cassez l'œuf au milieu et pétrissez jusqu'à obtenir une boule de pâte lisse. Laissez reposer pendant 1 heure.

* Farinez le plan de travail, étalez la pâte au rouleau et découpez les sablés à l'emporte-pièce. Sur la moitié des sablés, découpez un rond dans le milieu à l'aide d'un petit emporte-pièce ou tout simplement d'un dé à coudre.

* Sur la plaque du four farinée, faites cuire pendant 15 minutes environ (th. 6/7, 200 °C). Laissez-les refroidir sur une grille afin qu'ils restent bien croustillants.

* Avant de servir, déposez 1 cuillerée à dessert de confiture sur les sablés « pleins », recouvrez avec un sablé « troué ».

Biscuits de Noël*

Pour 50 biscuits
Temps de préparation : 15 min
Temps de repos : 1 h
Temps de cuisson : 15 min

❧

200 g de farine
175 g de noisettes moulues
1 cuillerée à café de cannelle
1 cuillerée à café de cardamome,
de muscade râpée,
de gingembre ou de graines d'anis
en poudre
1 pincée de sel
150 g de beurre, 150 g de sucre
roux, 1 œuf

Pour le glaçage
1 blanc d'œuf, 250 g de sucre
glace
Le jus de 1/2 citron
Colorants alimentaires au choix

* Mettez tous les ingrédients dans le bol d'un mixeur et actionnez l'appareil jusqu'à obtenir une pâte lisse. Laissez reposer et étalez au rouleau. Sur une planche farinée, découpez les biscuits à l'emporte-pièce et faites cuire à four chaud (th. 6, 180 °C).

* Faites le glaçage. Battez le blanc d'œuf au fouet à main ou à la fourchette. Ajoutez le sucre glace petit à petit, puis le jus de citron. Le mélange doit être crémeux et coulant.

* Répartissez le glaçage dans plusieurs bols et ajoutez 1 à 3 gouttes de colorant alimentaire dans chacun, selon la couleur que vous souhaitez obtenir. Vous pouvez également procéder à des mélanges pour diversifier les teintes. Réservez un peu de glaçage, qui conservera sa couleur blanche.

* Avec une lame de couteau, étendez un peu de glaçage sur les biscuits. Laissez le glaçage sécher ; en 1 ou 2 heures, il sera dur, lisse et brillant.

* Ces biscuits se conservent longtemps et sont de merveilleux éléments pour décorer l'arbre de Noël. Avant que le glaçage ne sèche complètement, plantez une petite pique en bois de façon à ménager un trou pour y passer une ficelle dorée qui permettra d'accrocher le biscuit dans le sapin.

Tuiles aux amandes***

Pour 20 pièces

Temps de préparation : 10 min

Temps de cuisson : 10 min

🐦

5 blancs d'œufs ou 2 œufs entiers
150 g de sucre
75 g de farine
75 g de beurre fondu
2 cuillerées à soupe d'amandes
effilées

* Préchauffez le four (th.6/7, 200 °C).

* Dans un grand bol, battez les blancs d'œufs et le sucre jusqu'à ce que le mélange soit mousseux. Incorporez la farine, le beurre et les amandes. Beurrez bien la plaque du four et déposez-y 4 cuillerées à soupe de pâte en tas assez espacés. La pâte doit être coulante pour s'étaler en une couche très fine pendant la cuisson. Enfournez dans le four chaud. En quelques minutes, les tuiles sont dorées sur les bords. Sortez la plaque du four. Soulevez les tuiles avec une grande spatule et déposez-les sur une grille.

Variante
Cornets et coupelles de fruits à la crème Chantilly.

* Pour les cornets, préparez des petits verres ou des coquetiers. La mise en forme doit se faire très rapidement à la sortie du four. Soulevez une tuile à la fois, roulez-la en cornet et déposez-la dans un verre, qui la maintiendra en forme pendant le refroidissement. Procédez de la même manière pour les autres. Les tuiles durcissent très vite ; si c'est le cas, remettez la plaque au four quelques minutes.

* Pour les coupelles, préparez des petits bols et déposez les tuiles soit à l'intérieur, soit à l'extérieur pour leur faire prendre la forme d'une coupelle.

* Préparez la crème Chantilly. Au moins 2 heures avant de la réaliser, mettez 20 centilitres de crème fraîche, 50 grammes de sucre glace et 1 sachet de sucre vanillé au réfrigérateur, ainsi que le bol et le fouet. Versez la crème et les deux sucres dans le bol. Battez le mélange au fouet. Dès que la crème a triplé de volume et que les traces du fouet restent marquées à la surface, arrêtez de battre, pour qu'elle ne tourne pas.

* Déposez 1 cuillerée à soupe de crème Chantilly dans chaque coupelle et cornet. Ajoutez quelques fruits rouges lavés et équeutés : fraises, groseilles, myrtilles, cassis, fraises des bois, framboises. Ne procédez à cette opération qu'au dernier moment, pour que la pâte reste croustillante.

Choux à la crème***

Pour 20 choux
Temps de préparation : 20 min
Temps de cuisson : 15 min

❧

1/4 l d'eau, 1/2 cuillerée à café
de sel
1 cuillerée à soupe de sucre
75 g de beurre + 1 noix
pour la plaque
150 g de farine, 4 œufs
Crème pâtissière
(voir recette p. 25)

Pour le glaçage
250 g de sucre, 4 cuillerées à
soupe d'eau
1 cuillerée à soupe de vinaigre ou
de glucose
1 cuillerée à café d'extrait de café
ou 1 cuillerée à dessert de cacao
non sucré dilué dans un peu d'eau
Colorant alimentaire

* Pour préparer la pâte à choux, reportez-vous à la recette p. 18.

* À l'aide de deux cuillères à café, dressez les choux sur une plaque légèrement beurrée. Espacez-les bien, car ils vont doubler de volume en cuisant.

* Préchauffez le four (th. 7, 210 °C). Enfournez à mi-hauteur. Les choux sont cuits quand ils sont bien gonflés et dorés. S'ils ne se détachent pas de la plaque, laissez-les encore un peu dans le four entrouvert.

* Quand les choux sont froids, remplissez-les de crème pâtissière agrémentée du parfum de votre choix. Utilisez une poche à douille.

Variante
Éclairs

* Préparez le glaçage. Dans une petite casserole, mettez le sucre, l'eau, le vinaigre ou le glucose, remuez et chauffez. Quand le sirop est clair et commence à épaissir, vérifiez la cuisson en trempant une cuillère dans la casserole : si le sirop nappe la cuillère et retombe en filet, retirez du feu et versez sur un marbre mouillé. Laissez la nappe refroidir quelques instants, puis déplacez-la avec une spatule jusqu'à ce que le sucre devienne blanc et forme une pâte. Façonnez une boule et travaillez la pâte dans vos mains, comme du mastic ; elle devient lisse et luisante.

* À ce stade, le fondant peut se conserver très longtemps dans une boîte hermétique.

* Préparez une pâte en suivant la recette précédente. Mettez-la dans une poche à douille et dressez les éclairs sur la plaque du four beurrée. Espacez-les régulièrement. Faites cuire, garnissez à froid et glacez comme les choux.

* Mettez le fondant dans un bol au bain-marie. Ajoutez le parfum, le colorant et, au besoin, 1 cuillerée à soupe d'eau. Chauffez et remuez jusqu'à ce que le fondant devienne tiède et coulant. Trempez le dessus de chaque éclair dans le bol ; déposez sur une grille. Le fondant refroidi deviendra dur, lisse et brillant.

* Si, au cours du trempage, le fondant devient trop épais, réchauffez-le.

* Le fondant est un élément très précieux pour glacer tous les gâteaux à pâte sèche.

LES GLACES

Glace au pain d'épice**

Pour 8 personnes

Temps de préparation : 20 min

Temps de cuisson : 10 min

Temps de repos : 1 h

🐦

200 g de sucre cristallisé

3 cuillerées à soupe d'eau

1 cuillerée à soupe de vinaigre

1 cuillerée à soupe de miel

20 cl de crème fraîche liquide

3 verres de lait

Épices (anis étoilé, vanille,

cannelle, réglisse, eau de fleur

d'oranger)

6 jaunes d'œufs

3 tranches de pain d'épice

* Dans une casserole, mettez le sucre, l'eau et le vinaigre. Remuez, puis chauffez et maintenez l'ébullition jusqu'à ce que le caramel commence à se colorer sur le bord de la casserole. Incorporez le miel, puis la crème. Mélangez et chauffez encore jusqu'à obtenir un caramel blond.

* Dans une autre casserole, faites bouillir le lait, parfumez-le avec les épices choisies.

* Dans un cul-de-poule, battez les jaunes d'œufs au fouet. Versez dessus le lait bouillant. Incorporez le caramel pendant qu'il est encore chaud.

* Mettez cette préparation dans un moule et placez au freezer. Quand la glace commence à prendre, ajoutez le pain d'épice coupé en petits morceaux. Remettez au freezer pendant au moins 1 heure.

Glace à la fraise**

Pour 10 personnes
Temps de préparation : 30 min
Temps de cuisson : 10 min
Temps de repos : 3 h

2❀

1 kg de fraises
125 g de sucre en poudre
Le jus de 1/2 citron

Pour la chantilly
20 cl de crème fraîche
2 cuillerées à soupe de sucre
glace

Pour la meringue italienne
6 blancs d'œufs
200 g de sucre
3 cuillerées à soupe d'eau

* Réservez quelques belles fraises pour les servir avec la glace. Essuyez, équeutez et réduisez les autres en purée. Arrosez la purée avec le sucre et le jus de citron.

* Montez la crème en chantilly : mettez la crème bien froide dans le bol d'un mixeur, commencez à battre, ajoutez petit à petit le sucre glace. Arrêtez l'appareil dès que la crème commence à prendre consistance.

* Préparez la meringue : battez les blancs en neige ferme. Dans une petite casserole, mettez le sucre et l'eau. Chauffez sans remuer jusqu'à ce que le sirop épaississe et commence à se colorer légèrement sur le bord de la casserole : 1 cuillerée de sirop versée dans un verre d'eau glacée doit pouvoir être reprise entre les doigts pour former une boule. Versez le sirop en un mince filet sur les blancs en neige, en battant constamment. Battez la meringue encore quelques instants après épuisement du sirop. Laissez refroidir.

* Mélangez la purée de fraises avec la moitié de la meringue et la crème fouettée. Versez la préparation dans un moule et mettez au freezer pendant au moins 3 heures.

* Au moment de servir, démoulez la glace. À la poche à douille, garnissez-la avec la meringue restante et les fraises réservées.

Sorbet au melon**

Pour 5 à 6 personnes
Temps de préparation : 20 min
Temps de cuisson : 10 min
Temps de repos : 3 h

❧

1 melon, 200 g de sucre en poudre
3 cuillerées à soupe d'eau
1 citron
Quelques feuilles de menthe
ou feuilles de cassis

* Ouvrez le melon en deux et enlevez les graines. Prélevez la pulpe avec une cuillère et mixez-la.

* Dans une petite casserole, mettez le sucre, l'eau et le jus du citron. Remuez, puis chauffez et laissez bouillir jusqu'à ce que le sirop commence à prendre consistance : une cuillère froide trempée dans le sirop doit ressortir nappée, et le sucre retomber en filet.

* Retirez la casserole du feu. Laissez tiédir, puis incorporez le sucre cuit à la purée de melon. Versez la préparation dans une sorbetière ou un moule et mettez au freezer pendant au moins 3 heures.

* Avec la cuillère à glace, prélevez des boules et disposez-les dans des coupes individuelles. Décorez avec des feuilles de menthe ou de cassis.

* Procédez de la même manière pour un sorbet à la pêche ou à l'abricot.

Soufflés glacés au chocolat

Pour 8 ramequins

Temps de préparation : 15 min

Temps de cuisson : 10 min

Temps de repos : 1 h

🐋

200 g de sucre,
3 cuillerées à soupe d'eau
1 cuillerée à café de vinaigre
2 blancs d'œufs
20 cl de crème liquide,
1 sachet de sucre vanillé
1 cuillerée à soupe bombée
de cacao amer

* Dans une petite casserole, mettez le sucre, l'eau et le vinaigre. Faites cuire jusqu'à obtenir un sirop épais. Juste avant qu'il ne se colore, versez-le sur les blancs battus en neige, en continuant à battre. Mettez au réfrigérateur après refroidissement.

* Montez la crème bien froide en chantilly, avec le sucre vanillé. Ajoutez le cacao en pluie. Conservez au froid.

* Quand les deux préparations sont bien froides, mélangez-les délicatement à la spatule.

* Garnissez des ramequins d'une bande de papier fort pour surélever les bords et remplissez-les de ce mélange. Quand la glace est prise, enlevez le papier : les soufflés donneront l'impression d'avoir gonflé.

Glace aux marrons**

Pour 8 personnes

Temps de préparation : 20 min
Temps de cuisson : 10 min
Temps de repos : 3 h

🦢

4 œufs
100 g de sucre en poudre
1/2 l de lait entier
1 boîte de crème de marrons
(250 g)
20 cl de crème fraîche liquide
1 sachet de sucre vanillé

Pour la sauce au chocolat
100 g de sucre
1/2 verre d'eau
100 g de chocolat noir

* Cassez les œufs et séparez les blancs des jaunes. Montez les blancs en neige ferme.

* Battez les jaunes avec le sucre. Versez le lait bouillant sur le mélange, sans cesser de battre.

* Mettez la préparation dans une casserole et chauffez en remuant, jusqu'à ce qu'elle épaississe. Retirez-la du feu avant l'ébullition. Ajoutez la crème de marrons. Mettez au frais

* Montez la crème bien froide en chantilly, puis ajoutez le sucre vanillé.

* Incorporez délicatement les blancs en neige et mélangez avec la crème de marrons aux œufs, en soulevant la pâte avec une spatule.

* Versez dans un moule et laissez prendre au congélateur ou dans le compartiment glaçons du réfrigérateur pendant au moins 3 heures. Cette glace ne fait pas de paillettes.

* Préparez la sauce. Dans une casserole, chauffez le sucre et l'eau jusqu'à obtenir un sirop épais : il doit napper la cuillère. Laissez les bulles retomber. Cassez le chocolat en petits morceaux et faites-le fondre dans le sirop. Remuez jusqu'à obtenir une sauce bien homogène.

* Servez tiède, en accompagnant la glace.

LES BONBONS
ET LES FRIANDISES

Pâtes de guimauve**

Pour 20 pâtes environ

Temps de préparation : 25 min

Temps de cuisson : 10 min

Temps de repos : 1 h

❧

4 feuilles de gélatine
1 cuillerée à soupe de miel avec
3 cuillerées à soupe d'eau
3 cuillerées à soupe de fleur
d'oranger
2 blancs d'œufs
1 pincée de sel
200 g de sucre cristallisé avec
3 cuillerées à soupe d'eau
Sucre glace
Colorants alimentaires rouge
et vert (facultatif)

* Cette pâte de guimauve est une meringue suisse à laquelle on ajoute de la gélatine. En refroidissant, elle aura une consistance élastique qui plaît beaucoup aux enfants.

* Faites ramollir les feuilles de gélatine dans un grand bol d'eau froide.

* Chauffez le miel, l'eau et la fleur d'oranger. Faites dissoudre la gélatine dans le mélange chaud, mais pas bouillant (60 °C environ).

* Dans une grande terrine, montez les blancs d'œufs en neige ferme, avec le sel. Dans une petite casserole, mettez le sucre et l'eau. Faites chauffer en remuant. Quand le sucre est fondu, cessez de remuer et laissez bouillir jusqu'à obtenir un sirop blanc (1 cuillerée à café de sirop versée dans un verre d'eau froide doit se solidifier immédiatement).

* Versez le caramel en un mince filet sur les blancs en neige, tout en battant au fouet électrique : ils vont doubler de volume.

* Sur cette meringue, versez la gélatine, fondue et tiède, en un mince filet également, et toujours en battant.

* Si vous voulez colorer ces friandises, divisez la pâte en trois parts. Ajoutez 2 gouttes de colorant rouge à la première, 2 gouttes de vert à la deuxième et laissez sa couleur naturelle à la dernière.

* Sur trois feuilles de papier sulfurisé saupoudrées de sucre glace, étendez les trois pâtes avec une spatule mouillée. Laissez sécher 1 heure.

* Divisez en carrés et roulez chaque carré dans un peu de sucre glace.

Pâtes de fruits***

Pour 50 pâtes de fruits environ
Temps de préparation : 20 min
Temps de cuisson : 20 min
Temps de repos : 3 h

❧

1 kg de rhubarbe
1 kg de sucre pour confiture
ou 1 kg de sucre cristallisé
et 100 g de gélifiant
1 noix de beurre
3 gouttes de colorant vert

* Épluchez et coupez la rhubarbe en petits morceaux. Mettez ces morceaux dans une bassine à confiture. Couvrez avec le sucre et laissez macérer pendant au moins 3 heures. Quand le sucre est entièrement dissous, mettez la bassine sur le feu. Laissez bouillir à gros bouillons pendant 5 à 6 minutes. Mixez avec le pilon à potage pour obtenir une purée fine.

* Remettez sur le feu et laissez bouillir encore 10 minutes à feu vif, sans cesser de remuer. En fin de cuisson, ajoutez le beurre pour éliminer l'écume, puis le colorant. Quand la pâte est assez épaisse, versez-la sur un marbre huilé, entre quatre règles, ou dans un moule rectangulaire chemisé d'un papier sulfurisé huilé. La nappe doit avoir à peu près 1 centimètre d'épaisseur. Laissez reposer pendant 12 heures.

* Quand la pâte est bien sèche sur le dessus, retournez-la sur une grille. Enlevez éventuellement le papier sulfurisé et laissez sécher encore 12 heures. Découpez des carrés de pâte. Avant de les rouler dans du sucre cristallisé, laissez-les encore sécher pendant quelques heures afin qu'ils n'en absorbent pas trop.

Cubes à la gelée de fruits

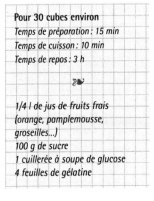

Pour 30 cubes environ
Temps de préparation : 15 min
Temps de cuisson : 10 min
Temps de repos : 3 h

❧

1/4 l de jus de fruits frais
(orange, pamplemousse,
groseilles...)
100 g de sucre
1 cuillerée à soupe de glucose
4 feuilles de gélatine

* Extrayez le jus des fruits. Faites bouillir le jus de fruits avec le sucre et le glucose, pendant 5 minutes. Laissez tiédir. Pendant ce temps, faites ramollir la gélatine dans un grand bol d'eau froide. Quand la température du sirop est retombée (vous devez pouvoir mettre le doigt dedans sans vous brûler), ajoutez la gélatine égouttée et remuez jusqu'à complète dissolution. Versez la préparation dans un bac à glaçons légèrement humide. Laissez prendre au frais pendant 3 heures au moins.

* Démoulez en passant le moule sous un filet d'eau chaude. Coupez les cubes avec un couteau mouillé.

Roses des sables*

Pour 50 roses

Temps de préparation : 20 min

Temps de cuisson : 10 min

❧

125 g de chocolat noir

100 g de beurre

150 g de sucre glace

3 cuillerées à soupe de café fort

150 g de corn flakes

50 caissettes de papier plissé

* Dans une terrine placée sur une casserole d'eau bouillante, coupez le chocolat en petits morceaux. Laissez fondre. Ajoutez le beurre, le sucre et le café. Battez la pâte jusqu'à ce qu'elle soit bien lisse. Hors du bain-marie, ajoutez les corn flakes. Enrobez-les de pâte en les soulevant délicatement pour ne pas les briser. Avec deux petites cuillères, remplissez les caissettes de papier en donnant à chaque bouchée la forme d'une rose des sables.

* En durcissant, le chocolat soudera les « pétales » entre eux et les roses seront prêtes.

* Si vous les conservez au frais, les roses peuvent être préparées plusieurs jours à l'avance.

Variante
Œufs au chocolat

* Suivez la recette précédente, en remplaçant les corn flakes par des rice crispies et en mettant la préparation dans des coquilles d'œufs. Quand le chocolat a durci, cassez les coquilles et enlevez-les comme s'il s'agissait d'œufs.

Écorces d'oranges confites**

Pour 250 g d'écorces

Temps de préparation : 20 min

Temps de cuisson : 15 min

Temps de repos : 12 h

❧

5 oranges à peau épaisse
non traitées
500 g de sucre
1/2 l d'eau

* Découpez la peau des oranges en quartiers réguliers et détachez-la soigneusement. Mettez les écorces dans une grande casserole.

* Recouvrez d'eau et faites bouillir pendant 10 minutes. Égouttez les peaux, plongez-les dans l'eau froide pendant 2 minutes et égouttez-les à nouveau. Préparez un sirop épais avec le sucre et l'eau. Mettez les écorces égouttées dans ce sirop, portez à ébullition pendant 5 minutes. Éteignez le feu, couvrez et laissez macérer jusqu'au lendemain. Pendant six jours de suite, renouvelez l'opération en donnant un bouillon de 5 minutes. Chaque fois, le sirop se concentrera davantage. Le sixième jour, après le dernier bouillon, retirez les écorces avec une écumoire et déposez-les sur une grille.

* Laissez-les sécher pendant 12 heures. Quand elles ne collent plus, elles sont prêtes à être dégustées.

Orangettes**

Pour 50 orangettes

Temps de préparation : 15 min

Temps de cuisson : 15 min

Temps de repos : 30 min

🌰

10 écorces d'oranges confites
200 g de chocolat noir ou au lait

* Découpez les écorces d'oranges en lamelles de 0,5 centimètre de large. Ne conservez que les belles lamelles longues. Mettez de l'eau dans une petite casserole et chauffez (60 °C maximum). Cassez le chocolat en petits morceaux dans un bol placé au bain-marie et laissez-les fondre sans remuer ; vérifiez leur consistance avec la pointe d'un couteau.

* Battez le chocolat à la fourchette : il doit devenir lisse et paraître froid au doigt. Ne le faites pas trop chauffer, il deviendrait granuleux et terne. Maintenez le bol de chocolat sur le bain-marie tiède, pendant toute la durée du trempage. Avec une fourchette, trempez une à une les écorces d'oranges, égouttez-les et déposez-les sur un papier cellophane. Dès que le chocolat commence à prendre, marquez des petits traits parallèles sur chaque orangette avec le dos de la fourchette. Laissez durcir dans un endroit sec et frais. Quand le chocolat est dur et brillant, détachez les orangettes du papier.

Sucettes au lait***

Pour 30 sucettes

Temps de préparation : 20 min

Temps de cuisson : 10 min

🐌

300 g de sucre cristallisé
1 verre de lait
2 cuillerées à soupe de crème fraîche
2 cuillerées à soupe de miel
1 sachet de sucre vanillé

* Mettez tous les ingrédients dans une grande casserole (ils vont tripler de volume en cuisant). Mélangez avec une cuillère en bois. Chauffez et, sans cesser de remuer, maintenez l'ébullition jusqu'à ce que le caramel épaississe et prenne une belle couleur blonde.

* Vérifiez le degré de cuisson : faites tomber quelques gouttes de caramel dans un verre d'eau glacée. Le caramel pris entre les doigts doit former une boule dure et cassante. Si la boule est encore molle, laissez cuire encore quelques instants.

* Versez le caramel sur un marbre huilé. Quand la nappe ne s'étale plus, travaillez-la avec deux spatules, en ramenant les bords vers le centre. Recommencez jusqu'à ce que le caramel ne colle plus. Il est alors encore malléable, mais moins chaud. Roulez-le sur le marbre et formez un saucisson. Avec des ciseaux, détaillez le caramel en petits morceaux de la grosseur d'une noix. Enfoncez un bâtonnet dans chaque boule. Façonnez la sucette avec une spatule. Au fur et à mesure, posez les sucettes sur le marbre ou une toile cirée, en veillant à ce qu'elles ne se touchent pas. Laissez-les durcir.

* Coupez des carrés de papier cellophane en deux triangles. Emballez chaque sucette dans un triangle de papier en tournant une belle papillote.

Variante
Caramels aux pop-corn

* Préparez le même caramel que pour les sucettes et versez-le sur un lit de pop-corn préparé sur le marbre huilé et délimité par quatre règles métalliques.

* Découpez le caramel en carrés avant qu'il soit complètement froid.

Berlingots**

* Dans une petite casserole à fond épais, mettez le sucre, l'eau, le vinaigre et mélangez. Faites cuire, sans remuer, jusqu'au grand cassé (le caramel commence juste à se colorer sur le bord de la casserole). Versez sur le marbre huilé, puis ajoutez l'essence de fruit et le colorant.

* Avec une spatule, ramenez les bords de la nappe vers le centre. Recommencez l'opération jusqu'à ce que le caramel ne s'étale plus. Travaillez alors cette pâte comme une pâte à tarte, puis tirez-la en un long ruban que vous replierez sur lui-même avant de le tirer à nouveau. Vous obtenez ainsi de belles rayures nacrées. Avant que le ruban ne devienne cassant, coupez les berlingots : avec de gros ciseaux de cuisine, coupez tous les centimètres, en tournant le ruban d'un quart de tour à chaque fois pour donner aux berlingots leur forme caractéristique. Séparez aussitôt les berlingots, afin qu'ils ne se collent pas pendant qu'ils sont encore chauds. Conservez dans un bocal, à l'abri de l'humidité.

* Vous pouvez rouler les berlingots dans un mélange sucre-glace-fécule : cela leur donne un bel aspect poudré.

Variante
Sucettes aux fruits

* Procédez exactement de la même manière que pour faire les berlingots, mais coupez des morceaux de caramel plus gros. Arrondissez-les et enfilez un bâton dans chaque boule. Aplatissez à la spatule. Emballez les sucettes refroidies dans du papier cellophane.

Bonbons au miel***

Pour 70 bonbons environ

Temps de préparation : 20 min

Temps de cuisson : 10 min

❧

250 g de sucre
3 cuillerées à soupe d'eau
1 cuillerée à soupe de vinaigre
2 cuillerées à soupe de miel pur
et parfumé

* Dans une petite casserole, mettez le sucre, l'eau et le vinaigre, remuez. Chauffez d'abord doucement, puis, quand le sirop est clair, augmentez la chaleur et laissez cuire le sucre sans remuer jusqu'à ce qu'il se colore sur le bord de la casserole. Ajoutez le miel, mélangez et faites cuire encore 1 minute : le mélange mousse, puis retombe. Retirez la casserole du feu, attendez que les bulles retombent et versez le caramel sur un marbre légèrement huilé. Avec deux spatules, ramenez les bords de la nappe vers le centre. Recommencez l'opération jusqu'à ce que le sucre ne s'étale plus. Prenez alors la boule de sucre en main et tirez-la en un long ruban. Avec de gros ciseaux de cuisine, coupez des bonbons qui auront la forme de petits coussinets de 1 centimètre de côté. Veillez à ce que les bonbons ne se touchent pas quand ils sont encore chauds.

* Conservez à l'abri de l'humidité.

Variante
Étoiles au miel

* Pour décorer l'arbre de Noël, préparez des sablés (voir recette p. 76) en forme d'étoiles. Évidez-les au centre et faites-les cuire. Passez une ficelle dorée dans le trou. Disposez les étoiles sur un marbre huilé et coulez le caramel bouillant (même recette que pour les bonbons au miel).

* Pour faire des étoiles colorées, ajoutez au caramel 1 goutte de colorant jaune, puis 1 goutte de colorant rouge. Vous obtiendrez ainsi un joli dégradé allant du jaune au rouge en passant par l'orange.

JEUX-DÉCORS

Sucre coloré*

Pour un pot de 250 grammes
Temps de préparation : 5 min

Sucre cristallisé blanc
Colorants alimentaires

* Pour ne pas trop humidifier le sucre, procédez par petites quantités. Remplissez le pot aux trois quarts avec le sucre, ajoutez 2 ou 3 gouttes de colorant, suivant l'intensité de couleur désirée. Fermez bien le pot et agitez vigoureusement pour obtenir une couleur uniforme. Recommencez l'opération pour chacune des couleurs que vous désirez. Mélangez les couleurs de base (1 goutte de chaque) pour disposer d'une belle palette. Utilisez ce sucre sur des gâteaux ou dans des bocaux, pour réaliser des décors géométriques ou des paysages. Laissez libre cours à votre imagination.

Variante
Bouteilles « brésiliennes »

* Ici, patience et minutie sont nécessaires. Sans vouloir aller trop vite, disposez les couches de sucre, d'une manière régulière ou fantaisiste, mais toujours en tassant bien à chaque fois. Pour réaliser des dessins compliqués, dessinez des formes sur le verre avec un feutre. Avec une longue pique en bois, faites descendre le sucre de la couche supérieure vers la couche inférieure.

* Quand le pot est plein, tassez et fermez avec le couvercle. Effacez le feutre avec un peu d'alcool.

Petits-fours sans cuisson*

Pour 30 petits-fours environ

Temps de préparation : 15 min

Temps de repos : 30 min

🦢

*20 boudoirs ou 20 biscuits
de Reims
50 g de beurre
1 cuillerée à soupe de sirop
de fruit
(framboise, cassis ou mûre)
2 gouttes d'essence d'amandes
amères
Sucre coloré
(voir recette ci-dessus)*

* Écrasez finement les gâteaux. Ajoutez le beurre ramolli, le sirop de fruit et l'essence d'amandes amères. Malaxez à la fourchette. Laissez reposer la pâte au frais. Mettez en forme et roulez dans le sucre coloré.

* Présentez en petites caissettes de papier plissé.

Pâte à modeler en sucre[*]

Temps de préparation : 10 min
Temps de repos : 30 min

🐟

300 g de sucre glace
2 cuillerées à soupe de fécule
de riz (de préférence)
Le jus de 1/2 citron ou 1 blanc
d'œuf battu à la fourchette
1 cuillerée à soupe de végétaline

Pour la glace royale
5 cuillerées à soupe de sucre
glace
1 blanc d'œuf
Colorant alimentaire (facultatif)

* Mélangez le sucre glace et la fécule. Faites un puits, versez-y le jus de citron et la végétaline. Pétrissez jusqu'à obtenir une pâte bien lisse. Couvrez et laissez reposer.

* Avant d'être mise en forme, cette pâte doit impérativement être conservée dans une boîte hermétique ou un sac plastique bien fermé et être utilisée par petites quantités, car elle sèche et se craquelle très vite.

* Naturellement blanche, elle peut également être colorée dans la masse, ou légèrement ombrée au pinceau ou au pulvérisateur quand elle est sèche.

* Il est préférable de modeler les sujets « dans la masse », mais, pour de grandes compositions, vous pouvez assembler les pièces entre elles avec une solution de gomme arabique (vendue en pharmacie) ou un peu de glace royale. Battez alors le blanc d'œuf à la fourchette.

* Incorporez progressivement le sucre glace et ajoutez quelques gouttes de colorant si nécessaire. La pâte à modeler en sucre permet de réaliser petits fruits, petits légumes pour jouer à la marchande, pions de jeux de société, colliers, bracelets, mobiles, petits animaux… Si elle est comestible, la pâte en sucre n'est pas vraiment savoureuse. Il vaut donc mieux la réserver à la décoration.

Pâte à modeler en chocolat[*]

Temps de préparation : 10 min
Temps de repos : 30 min

🐌

200 g de chocolat blanc
2 cuillerées à dessert de glucose
1 cuillerée à dessert de sucre
glace

[*] Faites fondre le chocolat au bain-marie et ajoutez le glucose. Remuez jusqu'à obtenir une pâte lisse et élastique. Pétrissez avec le sucre glace. Laissez reposer la pâte au frais.

[*] Quand elle a la consistance d'une pâte à modeler, mettez-la en forme au gré de votre fantaisie. Étalée au rouleau, elle est idéale pour recouvrir un gâteau. Les modelages peuvent être colorés au pinceau, avec une solution de gomme arabique et de colorant alimentaire.

Pâte d'amandes**

Temps de préparation : 25 min
Temps de repos : 1 h

🐦

250 g de sucre glace
250 g d'amandes en poudre
1 blanc d'œuf battu
à la fourchette
Le jus de 1 citron

∗ Dans une terrine, mélangez sucre et poudre d'amandes. Liez progressivement, d'abord avec le blanc d'œuf, puis avec le jus de citron, jusqu'à obtenir une pâte lisse.

∗ Pétrissez-la comme une pâte à tarte, puis roulez-la en boule, recouvrez-la d'un torchon et laissez-la reposer au moins 1 heure au réfrigérateur.

∗ Étendez la pâte au rouleau sur un marbre. Saupoudrez-la de sucre glace et découpez-la à l'emporte-pièce ou avec la pointe d'un couteau selon la forme d'une feuille par exemple. Vous pouvez aussi poser sur la pâte une feuille végétale et découper tout autour. Terminez la feuille en dessinant les nervures avec la pointe du couteau.

∗ La pâte d'amandes se prête parfaitement au modelage : roulez-la dans la paume de vos mains et travaillez-la comme de la pâte à modeler. Réalisez ainsi un petit oiseau, des champignons, des pommes, des poires – les clous de girofle simulent l'œil et la queue du fruit –, etc. Pour former une rose (voir photo), taillez cinq disques, grands comme des pièces de monnaie, amincis sur la moitié de leur surface. Un disque, roulé en cône, constitue le cœur de la rose ; les autres disques, intercalés, forment les pétales. Deux d'entre eux sont galbés, afin d'« ouvrir la rose ».

∗ Si la pâte d'amandes est sèche et friable, huilez vos doigts avant de la travailler. Si, au contraire, elle est collante, ajoutez-y un peu de sucre glace mélangé à de la fécule.

∗ La pâte d'amandes peut être colorée dans la masse. Il suffit d'y ajouter quelques gouttes de colorant alimentaire avant de la travailler. Mais, pour avoir des couleurs plus jolies et surtout des tons plus nuancés, il est préférable de peindre les sujets terminés avec un petit pinceau fin trempé dans le colorant alimentaire. Pour obtenir un beau brillant, faites dissoudre 1 cuillerée à café de gomme arabique (vendue en pharmacie) dans 1/2 verre à liqueur d'eau et vernissez les sujets bien secs avec un petit pinceau. Laissez sécher sur une grille.

Petits paniers en caramel et cheveux d'ange

Pour 5 paniers
Temps de préparation : 25 min
Temps de cuisson : 15 min

🦢

300 g de sucre
5 cuillerées à soupe d'eau
1 cuillerée à soupe de vinaigre de cidre
1 cuillerée à soupe de miel

* Dans une petite casserole, mélangez le sucre, l'eau et le vinaigre. Faites cuire sans remuer jusqu'à ce que le caramel commence à se colorer sur le bord de la casserole. Ajoutez le miel et remuez jusqu'à ce qu'il soit complètement dissous, après 2 minutes de cuisson environ. Ôtez la casserole du feu et laissez les bulles retomber.

* Quand le caramel a un peu épaissi, coulez-le sur un marbre huilé, en un mince filet continu, tout en effectuant un léger mouvement circulaire du bras pour dessiner un napperon de dentelle. Quand celui-ci est assez fourni, dessinez-en un autre, puis un troisième. Avant que les napperons soient tout à fait refroidis, soulevez-les avec une spatule et déposez-les sur une pomme pour les mettre en forme. Appliquez fermement le caramel sur le fruit, jusqu'à complet refroidissement. Démoulez les petits paniers.

* Pour faire les anses, coulez le caramel, toujours en un mince filet, sur une longueur de 10 à 15 centimètres et une largeur de 1 centimètre, en faisant quelques allers et retours en zigzag. Soulevez ces bandes avec la spatule et arrondissez-les sur la pomme pendant qu'elles sont encore souples. Trempez les deux extrémités de l'anse dans le caramel restant et soudez-les au panier.

* Si, après avoir préparé trois paniers, le caramel est devenu un peu trop épais, réchauffez-le à feu très doux, afin qu'il se ramollisse mais ne se colore pas trop (plus un caramel est cuit, plus il est avide d'eau, et plus il fondra rapidement).

* Le caramel qui restera au fond de la casserole sera juste à bonne température pour préparer des petites pelotes de cheveux d'ange et tapisser le fond des paniers.

* Avec une fourchette, prélevez 1 noisette de caramel. Entre le pouce et l'index, tirez rapidement de longs fils, jusqu'à ce qu'ils deviennent cassants. Trempez à nouveau la fourchette dans le caramel et répétez l'opération. Tapissez les paniers de cheveux d'ange et garnissez-les, par exemple, de petits œufs de Pâques, ou de dragées à l'occasion d'un baptême… Les cheveux d'ange sont fragiles, très sensibles à l'humidité et à la chaleur. Ils ne se conservent pas longtemps.

Coupe en nougatine***

Pour 1 grande coupe
Temps de préparation : 40 min
Temps de cuisson : 10 min

🍃

350 g de sucre
4 cuillerées à soupe d'eau
2 cuillerées à soupe de vinaigre
1 cuillerée à soupe de miel
100 g d'amandes concassées

* Dans une petite casserole à fond épais, mettez le sucre, l'eau et le vinaigre, remuez. Faites cuire sans mélanger jusqu'à obtention d'un caramel blond. Ajoutez alors le miel, puis les amandes. Laissez cuire, en remuant, pendant 1 à 2 minutes, afin que le caramel soit bien doré. Versez sur un marbre huilé. À l'aide de deux spatules, ramenez les bords de la nappe vers le milieu pour la refroidir. Quand elle ne s'étale plus et qu'elle ne colle plus, travaillez-la à la main et étalez-la au rouleau à pâtisserie. Tirez bien pour obtenir une couche fine et régulière. Pendant qu'elle est encore souple, déposez-la sur un saladier retourné. Façonnez la coupe, égalisez-la et laissez-la sur son support jusqu'à complet refroidissement, afin qu'elle ne se déforme pas.

* Cette coupe peut se conserver plusieurs jours dans une atmo-sphère sèche. Elle ne sera garnie de mousse au chocolat ou au citron ou encore de boules de glace qu'au dernier moment.

Variante
Tartelettes de nougatine au lemon curd

* La nougatine peut aussi être détaillée en tartelettes. Pour cela, gardez la nougatine en boule et ne détachez que la valeur d'une tartelette à la fois.

* Façonnez les tartelettes sur un petit bol renversé ou, mieux encore, sur une pomme. Quand la nougatine est devenue trop dure pour être travaillée, passez-la 1 ou 2 minutes dans le four à micro-ondes avant de continuer.

* Préparez le *lemond curd*. Râpez le zeste et prélevez le jus de 2 citrons. Battez 3 œufs en omelette. Dans un bol au bain-marie, mettez le zeste et le jus de citron, 100 grammes de beurre, 125 grammes de sucre et les œufs. Battez au fouet électrique jusqu'à ce que le mélange épaississe : il doit faire « ruban » quand vous soulevez le fouet. Quand la crème est refroidie, garnissez les tartelettes et conservez le reste en pot au réfrigérateur.

Coupe en nouveauté

LES BOISSONS

Sirop de framboise**

Temps de préparation : 5 min
Temps de cuisson : 10 min

🍶

5 cuillerées à soupe de sucre
1 cuillerée à soupe de jus
de citron
5 cuillerées à soupe d'eau
200 g de framboises

* Dans une petite casserole, mettez le sucre, le jus de citron et l'eau. Chauffez doucement jusqu'à ce que le sirop soit clair et commence à épaissir : il doit napper la cuillère. Écrasez les framboises au mixeur et, pendant qu'il tourne encore, versez le sirop de sucre.

* Servez un peu de sirop concentré dans chaque verre, complétez avec de l'eau et des glaçons.

Lait au caramel**

Temps de préparation : 5 min
Temps de cuisson : 10 min

🐄

1/2 l de lait
150 g de sucre
3 cuillerées à soupe d'eau
1 cuillerée à soupe de glucose
1 verre d'eau tiède

* Préparez un caramel liquide : dans une petite casserole, mettez le sucre, l'eau et le glucose.

* Faites cuire jusqu'à obtenir un caramel blond soutenu. À ce moment, «éteignez» le caramel avec l'eau tiède. Réchauffez quelques minutes pour que la préparation soit bien homogène. Versez ensuite sur le lait et remuez.

* Gardez au froid.

Chocolat**

Temps de préparation : 10 min
Temps de cuisson : 30 min

❧

150 g de chocolat en tablette
1 tasse d'eau
4 tasses de lait
5 morceaux de sucre
1 sachet de sucre vanillé

* Mettez tous les ingrédients dans une casserole. Chauffez doucement en battant au fouet jusqu'à ce que le mélange soit homogène. Laissez réduire au moins 30 minutes à feu très doux. Remuez de temps en temps. Se déguste chaud ou froid.

Variante
Chocolat viennois

* Ajoutez sur chaque tasse de chocolat, servi chaud ou froid, un dôme de chantilly glacée.

INDEX

Découvrez la collec

Ce mois-ci :

En mars :

NOTES

NOTES

NOTES

NOTES

NOTES